# LA CINQUIÈME ÉTOILE

## ÉDITIONS AMPHORA

Le parachutisme moderne

## ÉDITIONS HERMÉ

Avoriaz : les fantômes du festival

Gendarmerie : les unités spécialisées

Monsieur le Maire

## ÉDITIONS GAULOISES AVENTURES

L'Assassin habite au 36.15

## PIÈCES DE THÉÂTRE RADIOPHONIQUES FRANCE INTER

La Villa des Bougraine
Le Cœur et la raison
L'Affaire Charmelat

Et si on faisait semblant
Studio à louer
Rapt

GILBERT PICARD

# LA CINQUIÈME ÉTOILE

PRESLOIS
CENTRALE DE PRESSE ET D'ÉDITION
62, rue des Bergers
75015 — PARIS

© CEPREDI, 1992.
ISBN : 2-909866-00-9

# CHAPITRE PREMIER

« Impossible de mettre la main sur mon nœud papillon. Je suis pourtant certain de l'avoir mis dans la valise ! Je me vois mal aller à l'Opéra en smoking avec une cravate de ville. Il n'y a qu'à moi qu'il arrive des choses pareilles. L'Elysées-Marignan a beau être à proximité des Champs-Elysées, à cette heure je ne trouverai pas un magasin ouvert ! »

L'épouse de Joseph Massillon, commissaire de police qui fit une carrière éblouissante à la PJ, sortit de la salle de bains avec des rouleaux dans les cheveux.

« Regarde dans les poches de ta veste. C'est là que tu le mets d'habitude. Et si tu l'as oublié, eh bien, on demandera au concierge de te dépanner. Le personnel de l'hôtel est attentif pour régler tous les petits problèmes. Tu ne serais pas le premier client à qui arriverait cette mésaventure...

— Tu as raison. J'ai vu, près du téléphone, un carton qui précisait qu'en cas de besoin on peut nous fournir chemise, cravate et collants. Les tiens peuvent filer...

— Moi je suis prévoyante, j'en ai apporté un stock !

Lucie ouvrit la penderie et inspecta le smoking. Triomphalement, elle déposa le nœud papillon et les boutons de manchettes sur le meuble bureau, à côté du grand écran de télévision orientable.

— Je ne te comprendrai jamais ! Durant toute ta carrière, tu as eu le chic de découvrir le moindre petit indice. Un cheveu sur un tapis, un bouton sur une plage ! Et tu n'es pas fichu de te souvenir de l'endroit où tu mets tes affaires !

— J'ai mis ma mémoire au service de mon métier. Pour mes choses personnelles, j'ai pris l'habitude de me servir de la tienne !

Du minibar, le commissaire sortit une bouteille de champagne.

— Avoir une petite fille première danseuse et la voir évoluer sur la scène de l'Opéra, c'est un événement qui s'arrose ! Les grands-parents peuvent s'offrir une coupe de champagne !

Les époux choquèrent leurs verres. Alors que Lucie terminait son maquillage, Joseph Massillon, installé dans un confortable fauteuil, inspecta la chambre. Une pièce claire et spacieuse où, jusqu'aux moindres détails, tout avait été étudié pour le confort dans le raffinement des occupants. Dans une parfaite harmonie des couleurs, les tombées de rideaux répondaient aux dégradés des tentures murales.

Sans être un spécialiste de l'art contemporain, il admira les toiles authentiques d'un peintre de la CEI exerçant son talent à Moscou et dont la cote ne cessait de grimper dans les grandes galeries européennes. Puis, jouant avec la télécommande, il zappa les multiples chaînes de TV proposées par le câble.

Lucie confia :

— Je commence à avoir l'estomac qui se noue. J'ai le trac pour Aurélie. J'ai toujours peur qu'elle trébuche ou qu'elle tombe.

— Ne t'inquiète pas ! Elle possède parfaitement son art. Le ballet sera un triomphe. J'en suis persuadé.

La troupe avait été baptisée « Ballet de l'Europe ». Les plus célèbres danseurs internationaux la composaient. Elle avait à son programme plusieurs galas au profit de la recherche médicale. C'est ainsi que le Tout-Paris, comptant une belle brochette de ministres et de personnalités, s'apprêtait à assister à la représentation de « La Dame de Pique », un ballet de Pichinov, tiré du livret de Tchaïkovski. L'intensité dramatique du spec-

10

tacle se trouvait encore rehaussée par une circonstance particulière. La danseuse étoile de l'Opéra, Nicole Fontange, avait choisi cette occasion pour faire, en pleine gloire, ses adieux au Palais Garnier. Après avoir signé un fructueux contrat, elle était à la veille de rejoindre la célèbre compagnie américaine le « Star Ballet ». Une troupe montée et sponsorisée par John Halifax, un étonnant personnage, adipeux, chauve et tout en rondeur, surnommé Big Jo.

Avec les dollars et l'appui de ce businessman avisé, la compagnie était rapidement devenue aussi réputée que le Bolchoï. D'autant plus que la Maison Blanche soutenait son action. Le président américain était, en effet, ravi de montrer au monde que Moscou n'avait pas le monopole de la danse et qu'il n'était pas, en plus, le temple des pointes, des tutus et des arabesques.

En avançant les capitaux, Big Jo avait permis à Sergio Marini d'exprimer pleinement son talent de maître de ballet et de chorégraphe. Il avait compris qu'en démocratisant le spectacle, il pouvait, avec des Etoiles, provoquer une pluie d'or dans son escarcelle. A condition, bien sûr, de ne pas avoir affaire à des étoiles filantes. Et, pour les fixer dans son ciel, il se servait de son énorme cigare comme d'une baguette magique. Il offrait aux danseuses, à celles qui s'étaient fait un nom sur le plan international, des contrats mirifiques. De quoi assurer la vie à l'heure de la retraite... Ce qui était plus séduisant pour les Etoiles vieillissantes que d'être obligées d'ouvrir un cours de danse — un de plus — pour subsister. Et éviter ainsi la corvée de faire croire aux parents du seizième ou de Neuilly que leur progéniture, des perches raides et osseuses ou des petits boudins, étaient des Belles au bois dormant en herbe. Pendant les années qu'elles passeraient à la Compagnie, les Etoiles seraient tout naturellement considérées partout comme... des stars.

Quant à Sergio Marini, il maudissait ses parents de lui avoir donné ce prénom. Le même que celui d'un grand Maître de ballet avec lequel, pendant des années, les critiques ne pouvaient s'empêcher d'établir des comparaisons, qui étaient rarement à son avantage.

Nicole Fontange avait longuement hésité avant de prendre une décision. L'Opéra, c'était sa vie. Son univers. Ses racines. Son passé. Et elle n'avait jamais imaginé que son avenir pouvait se trouver ailleurs.

Quand le « Star Ballet » lui proposa un engagement, elle s'entretint à maintes reprises avec son maître de ballet, Vladimir Oustrine, celui qui l'avait vue arriver petit rat et qui l'avait hissée au firmament. Au début, il s'était montré hostile à un tel projet. Puis, au fil des jours, sa détermination vacilla. Se rendant compte du désir secret de son élève de découvrir un autre monde moins austère, moins spartiate que celui de l'Opéra, il avait fini, non sans tristesse mais avec raison, par lui conseiller de s'investir outre-Atlantique. Le Palais Garnier ne pouvant faire de la surenchère financière, il lui dit, avec un accent encore plus rocailleux que de coutume :

— De toute façon, ma chérie, ni moi ni la France ne pourrions te retenir. Maintenant, tu t'inscris dans une autre dimension. Alors, cesse de te tourmenter, et fais tes valises !

Ayant reçu l'aval de son Maître, elle signa le contrat proposé et encaissa, sans état d'âme, le confortable chèque qui l'accompagnait.

**
*

Nicole Fontange occupait la chambre de prestige 103 de l'hôtel « Baltimore », avenue Kléber. Elle l'avait choisie pour les teintes en bleu pastel de la tapisserie, des doubles rideaux et du mobilier. De très grande classe, cette chambre ne présentait pas un luxe tapageur, mais un goût sûr et raffiné. Elle était reposante. Une atmosphère de sérénité s'en dégageait. Nicole s'y sentait bien. Elle avait l'étrange impression d'avoir laissé à la porte ses angoisses et son appréhension.

— Je commence à comprendre ceux qui finissent par

habiter à longueur d'année à l'hôtel, avait-elle confié à la directrice de l'établissement qui avait tenu à l'accompagner. Chez vous, on se sent protégé. Comme dans une bonbonnière. Le personnel est discret et efficace. S'il y a des hôtels au Paradis, j'aimerais bien vivre dans un endroit aussi charmant que celui-ci !

— Le plus tard possible, répondit la jeune femme. Avec vous, « Le Baltimore » obtient... sa cinquième étoile !

Discrète, la lingère gratta à la porte, puis elle plaça sur un cintre, dans la penderie, la robe du soir qu'elle venait de repasser. Peu après, un serveur apporta sur un plateau d'argent un toast, grillé à point, au saumon, que Nicole avait choisi dans la carte du room-service. Elle se mit à grignoter. Plus pour tromper son angoisse que par faim.

La sonnerie du téléphone interrompit sa rêverie.

— J'avais pourtant demandé qu'on ne me passe aucune communication, dit-elle en maugréant tout bas. Encore un journaliste sans doute !

Sur ses gardes, elle décrocha. Son ton se radoucit quand elle apprit que Vladimir Oustrine était à la réception.

— Qu'il monte ! répondit-elle de façon laconique.

Mince, osseux, les pommettes saillantes, les cheveux blancs rejetés en arrière, Vladimir s'encadra dans le chambranle. Puis il referma furtivement la porte derrière lui. Comme l'aurait fait un amant venant voir sa maîtresse.

— Douchinka ! Comment vas-tu ? s'exclama-t-il, en écartant les bras pour l'embrasser. Je sais que tu détestes les fleurs dans ta chambre. Tu dis que ça fait mortuaire. Quelle idée ! Alors, au lieu des roses rouges que je souhaitais t'offrir, j'ai apporté un ours en peluche bleue. Il agrandira ta collection et surtout j'espère qu'il te portera chance. Je l'ai pris petit pour qu'il puisse t'accompagner en Amérique. Dans tes futures tournées.

— Promis ! Il ne me quittera jamais.

Le corps moulé dans le douillet peignoir blanc de l'hôtel, Nicole passa dans la salle de bains où elle avait étalé son imposant nécessaire à maquillage. Le grand miroir bien éclairé lui renvoyait son visage expressif, aux traits fins. D'un geste adroit, elle allongea ses grands yeux en amande, puis ourla le pourtour de ses lèvres d'un rose subtil et délicat. Elle se retourna et planta son regard dans celui de Vladimir.

— C'est idiot, murmura-t-elle d'une voix blanche, je suis de plus en plus persuadée que j'ai fait une énorme bêtise en signant ce maudit contrat. J'ai comme un pressentiment.

— Mon Dieu, lequel ? Que tu vas être couverte de gloire et de dollars !

— C'est terrible pour moi de quitter l'Opéra. De ne plus travailler avec vous. En vous perdant, j'ai l'impression que je vais devenir orpheline.

Voyant que ses yeux se remplissaient de larmes, le maître de ballet la rassura :

— Tu as pris ta décision. Maintenant, il faut aller au bout de toi-même. Et tu ne seras jamais orpheline, car je serai toujours dans ton ombre pour, éventuellement, te conseiller. Mais l'heure n'est pas aux regrets ou aux projets. Ce soir, je veux que tu sois sublime. Plus parfaite encore que d'habitude. Tu danseras pour moi. Tu m'offriras ce point d'orgue de ta carrière. Ce sera mon cadeau. Ensuite, tu verras, tu partiras le cœur en paix.

Soyons réalistes, veux-tu ? Depuis quelque temps, tu étais dépressive. Dans ta nouvelle existence, tu n'auras plus besoin de psychanalyste ou de cachets euphorisants... Tu finissais par les prendre comme des cachous... Maintenant, je te laisse. Prépare-toi tranquillement. Je te retrouverai dans ta loge avant le lever de rideau.

— Surtout, ne soyez pas en retard ! Je veux absolument vous voir avant d'entrer en scène...

**
*

Le portier de l'hôtel ouvrit respectueusement la porte du taxi. M. et Mme Massillon s'installèrent à l'arrière.

— A l'Opéra, s'il vous plaît !

Un quart d'heure plus tard, l'ouvreuse les guidait jusqu'à leurs places, au cinquième rang de l'orchestre. Ils étaient arrivés très en avance. Mais déjà la salle se remplissait. Un brouhaha feutré et de bon aloi créait une atmosphère très particulière. Il y a des signes qui ne trompent pas sous les ors de l'Opéra. Les spectateurs privilégiés qui avaient pu obtenir un billet allaient assister à un événement. Dans le monde du spectacle, et d'une façon plus intense encore dans celui de la danse, les adieux de la vedette sont toujours émouvants.

Mme Massillon feuilletait le programme. En admirant la photo de Nicole Fontange dans une pose des plus harmonieuses.

Raoul Cornu, l'accessoiriste, un petit homme voûté, à la silhouette inquiétante, volait d'un bout à l'autre du plateau pour s'assurer que rien ne manquait, que tout était en place.

Derrière la porte de la loge n° 1, le grand Vladimir Oustrine contenait mal son émotion. Cette petite fille de bonne famille, il en avait fait une Etoile célèbre. Elle était sa création, son « œuvre », et son départ tournait une page de sa vie, peut-être la plus belle, la plus réussie.

L'habilleuse entra sur la pointe des pieds, portant un magnifique bouquet de fleurs blanches au centre desquelles tranchait une unique tulipe noire.

Avant de quitter la loge, Nicole saisit la petite enveloppe épinglée sur l'envoi et l'ouvrit. Elle en retira une simple carte à jouer, la Dame de Pique. Elle la jeta sur sa table de maquillage, puis en s'efforçant de respirer calmement, elle gagna les coulisses.

Le rideau se leva.

En entrant en scène, elle n'éprouva plus aucune

sensation. Tout avait disparu en elle pour laisser place à l'inspiration de la danse. Elle n'eut aucune pensée pour Eric, son fiancé, ni pour son départ de ce milieu familier. Seul, le moment présent comptait. Elle parvenait à maîtriser parfaitement toutes les influences étrangères. Baignant dans son univers, elle résolvait chorégraphiquement tout ce qui, dans son psychisme ou dans sa vie, pouvait constituer un problème. Ce soir-là, les contraintes, elle les avait faites siennes, les assumant, les assimilant, pour les transformer en matériau de base, solides assises pour l'évolution de sa personnalité expressive.

A petits pas courus, les danseuses prenaient possession de la scène, occupant l'espace et créant une atmosphère irréelle mais palpable, où, sous l'effet de la beauté dispensée dans son essence, le temps se décompose en mouvements, laissant flotter la perception confuse du relatif de l'humaine condition, aussi éphémère que le vol d'un gracieux papillon.

Aurélie, première danseuse, faisait preuve d'une exceptionnelle aisance et d'une grâce infinie. Elle avait, dans ses chaussons, de quoi être à son tour une Etoile…

De la fosse d'orchestre, montait la clameur des cuivres annonçant, par des accents pathétiques, l'imminence de l'événement. Puis, après le déluge du contre-ut, les cordes des violons et des violoncelles portèrent l'Etoile sur leurs mélodies douces et profondes. Par une menée sur pointes, elle glissa jusqu'au centre de la scène, pour s'immobiliser, jambes tendues et bras en couronne, comme pour soutenir et embrasser au-dessus de sa tête, en un geste symbolique, un monde imaginaire qui, tout à l'heure, éclaterait lors de la variation, déversant sur la salle la tragédie et le courant de la mort.

Nicole enchaîna entrechats, brisée volée, fouettées et manège de déboulés. Avec la vitesse, ses yeux ne voyaient plus une rampe de lumière et un grand trou noir, mais un univers constellé de comètes, d'astéroïdes qui éclataient en boules de feu.

— C'est gagné ! s'exclama Vladimir Oustrine. J'en étais sûr ! Nous touchons le sublime. Quel frémissement de vie ! Quelle incarnation de l'imagination créatrice ! Quelle force d'âme dans ce jeune corps qui a dansé en même temps qu'il apprenait à marcher !

Le pompier de service, l'écoutant sans très bien le comprendre, sentait que quelque chose d'extraordinaire devait se passer sur la scène.

Vladimir ajouta pour lui-même :

« Quel dommage qu'elle nous quitte ! »

La tension dramatique alla en crescendo tout au long des trois actes durant lesquels Nicole Fontange put faire étinceler toutes les facettes de son immense talent. Elle ne sentait plus son corps mais éprouvait l'étrange sensation d'être immatérielle, d'une légèreté incroyable dans le temps qui s'immobilisait. Lançant de constants défis aux lois de l'équilibre, paraissant soutenue par des fils invisibles, elle stupéfia l'assistance par sa grâce et son génie. Et quand, à la fin du tableau, elle s'immobilisa, figée dans la mort qu'elle venait de se donner pour ne pas laisser souiller son corps, les spectateurs subjugués restèrent un long moment silencieux avant de faire éclater leurs applaudissements nourris et des rappels qui, à l'Opéra, furent rarement aussi élogieux.

L'Etoile dut rester longtemps encore en scène, à saluer, à envoyer des baisers et recevoir des fleurs qu'on lui jetait depuis les corbeilles. Entre deux rappels, elle se précipita en coulisse, pour embrasser le Maître. Elle eut le temps de voir qu'il pleurait. Sous sa veste noire, trop large pour lui, elle le sentait trembler.

— Merci... lui souffla-t-elle, merci...

Elle prolongea jusqu'à l'extrême la joie de repasser devant le lourd rideau. Elle s'inclina encore plus profondément que de coutume dans sa révérence pour rendre hommage à tous ses amis, connus et inconnus, qui étaient venus la voir danser une dernière fois à l'Opéra. Elle aurait souhaité les embrasser tous personnellement pour les remercier.

Retrouvant le calme dans sa loge, après la tourmente, Nicole se laissa choir dans une bergère. Laura, l'habilleuse, lui tendit un grand verre d'eau fraîche qu'elle but presque d'un trait. Puis elle s'épongea le visage et prit le temps de lire quelques-uns des nombreux télégrammes de félicitations.

Elle déplia ses longues jambes pour défaire les lacets de ses chaussons. D'un regard plein de mélancolie, elle fixa la photo de l'homme de sa vie. Un diplomate.

— Pas de chance, n'est-ce pas ? dit-elle à son habilleuse. Il faut que je tombe sur un oiseau rare qui n'est jamais là quand il le faudrait. J'aurais aimé qu'il soit là ce soir… Mais Monsieur est en voyage… Et je ne sais même pas où !

**
*

La grosse limousine noire, mise à la disposition de l'Etoile pour l'occasion, s'arrêta devant l'entrée du restaurant « Ledoyen ». Les deux voituriers, parfaitement stylés, se précipitèrent pour lui ouvrir la portière, alors que le directeur de l'établissement, légèrement en retrait, l'attendait pour l'accompagner jusqu'à la salle. Dans l'entrée, de nombreuses et magnifiques corbeilles de fleurs avaient été déposées pour ajouter une note supplémentaire à l'atmosphère de luxe et de beauté.

Quand elle apparut, Cyril Vassiliev, le danseur étoile du Bolchoï qui, dans tous les tableaux du ballet, avait su toujours la mettre en confiance et en valeur, donna le départ des applaudissements. Puis, se précipitant à pas comptés vers elle, il lui prit la main pour la conduire par l'allée centrale jusqu'à la table d'honneur, juste dans l'axe de la fontaine du jardin. Les applaudissements redoublèrent.

Nicole Fontange fut invitée à s'asseoir entre le ministre de la Culture et son maître de ballet. Il s'agissait là d'une entorse au protocole. D'autres ministres, d'autres personnalités auraient dû être placées à sa gauche. Mais l'Etoile avait insisté pour que Vladimir Oustrine soit à côté d'elle.

L'ambassadeur de Grande Bretagne avait bien volontiers accepté de céder son siège, confiant avec un humour très britannique qu'il ne perdait pas au change, car, assis en face d'elle, il pourrait plus facilement l'admirer. « A côté d'elle, j'aurais eu toujours la tête tournée. J'évite ainsi un torticolis douloureux... » avoua-t-il en lissant sa moustache poivre et sel, comme chaque fois qu'il faisait un bon mot.

Les violons commencèrent à chanter et les bouchons de champagne à sauter. « Le Pavillon » fut un moment le centre des conversations, le ministre faisant état de sa culture. Il paraissait en connaître parfaitement toute l'histoire, depuis qu'en 1792, Antoine Nicolas Doyen transforma en restaurant « Le Dauphin », un cabaret des Champs-Elysées et qui appartenait au citoyen Desmazures. Le succès fut immédiat. Dès l'ouverture, le Tout-Paris se retrouva sous les frondaisons pour déjeuner ou dîner. Maisonnettes blanches aux volets verts, manège de chevaux de bois... jeu de tonneau... c'était déjà la fête. Et cette année-là, le nouveau maître des lieux inaugura la carte. Pas de menu imposé. C'était la première fois. Depuis, la formule a fait ses preuves...

Nicole trempa ses lèvres dans la coupe de champagne. Du regard, elle goûtait le charme de l'endroit.

— « Ledoyen » a toujours été un carrefour des arts. Un passage obligé, reprit le ministre. Littérature... peinture... et grâce à vous, aujourd'hui la danse. Exceptionnel !

Nicole voulut en apprendre davantage. Son voisin se fit un plaisir de faire revivre quelques pages du passé. De mémoire, il cita un extrait paru dans une gazette en 1868.

— Les jours de vernissage, on s'amuse follement chez Ledoyen. Il y a un monde fou. Les tables sont assiégées. Souvent, il n'y a plus de place, même pour les plus jolies femmes. On se bat quand un dîneur quitte sa place...

L'ambassadeur, à son tour, alimenta la conversation en apportant des précisions supplémentaires.

— Guy de Maupassant a décrit le Salon un jour de vernissage où la présence chez « Ledoyen » était quasiment obligatoire, précisant quelque chose comme " Une telle multitude d'hommes qu'on eût dit une pâte vivante… "

Les frères Goncourt notent également dans leur journal du 1er Mai 1882.

— Aujourd'hui, ouverture du Salon et déjeuner chez « Ledoyen », avec les ménages Daudet, Zola, Charpentier. Tout le monde des peintres et des femmes peintres en représentation et faisant des effets avec des arrivées en retard…

Clairin, Gervax, Forain, Caran d'Ache en avaient fait leur cantine.

A une autre table, les papilles gustatives déjà en fête, le commissaire Massillon étudiait avec délice le menu proposé.

— Saumon rose froid « tradition Ledoyen » et sa fameuse sauce verte ;

— Tartelette de rougets, sauce Amboise et petits légumes de printemps ;

— Croustillant de loup au pistou, coulis de tomates aux dragées d'ail ;

— Viennoise de ris de veau au jus d'estragon pommes « Anna ».

Un festin de roi — souligna le commissaire — alors qu'Aurélie sa petite fille s'interrogeait.

« Comment respecter un régime avec de telles tentations ? Ça va me changer de mon steak grillé et de ma tranche de jambon blanc… Pour être tout de même raisonnable, je vais me contenter de picorer. Par contre, pour les desserts, je craque. Raviolis de fraises des bois au beurre de Grand Marnier. Chaud et froid de Guanaja aux écorces d'oranges grillées.

— Tu ne peux pas toujours te priver, protesta la grand-mère.

— Il faut une discipline de fer, car nous sommes

toujours sollicitées. Et on paie cher le moindre écart. Demain, je serai bonne pour une heure supplémentaire de barre.

Dans un autre ballet, mais tout aussi bien réglé que celui de l'Opéra, les serveurs entrèrent en action, proposant les mets dans de grandes assiettes finement décorées. En cuisine, autour du chef, d'autres artistes œuvraient également.

Pendant la première partie du souper, Nicole Fontange parut volubile et enjouée. Elle s'accorda même le plaisir et l'audace d'attaquer les deux critiques qui, parfois, l'avaient malmenée, plus d'ailleurs par le désir d'écrire un article choc que par réelle méchanceté. Elle parvint même, en prenant la tablée à témoin, et sur un ton acidulé, à les mettre en difficulté en les entraînant sur des sujets purement techniques que, visiblement, ils ne connaissaient pas.

Maladroitement, elle renversa la petite salière d'argent. Superstitieuse comme beaucoup d'artistes, elle ressentit une crainte confuse au fond d'elle-même. Elle frissonna.

Au café, Mme Oustrine lui posa quelques questions sur son fiancé. Nicole en parla longuement. Vladimir se tourna alors vers elle :

— Mais, dites-moi, votre fiancé n'a-t-il pas un frère jumeau ?

— Non. Pas à ma connaissance. Pourquoi cette question ?

— C'est curieux. Alors que j'étais au balcon pour avoir une vue d'ensemble, j'ai vu un homme qui lui ressemblait extraordinairement. J'aurais juré que c'était Eric.

Nicole savait que c'était impossible. Mais elle se prit à espérer qu'il se manifesterait. Du coup, elle fut pressée de regagner l'hôtel « Baltimore ». Elle refusa de suivre ses amis qui voulaient l'entraîner dans une boîte à la mode.

Dans un brouhaha de bon aloi, les convives gagnèrent la sortie, certains fumant de gros cigares. Les voitures, portes ouvertes, ronronnaient.

Nicole s'éclipsa pour fuir les conversations qui s'éternisaient sur le perron. En quittant le jardin, elle aperçut l'étrange M. Cornu qui, à petits pas et rasant les arbres, marchait dans la nuit. Il serrait dans sa poche la petite cuillère d'argent dont l'Etoile s'était servie et qu'il avait subtilisée sur la table du Pavillon « Ledoyen ».

Nicole Fontange referma doucement la porte de sa chambre. Réellement, le décorateur avait pensé à tout. L'éclairage tamisé adoucissait encore les teintes pastel. Pour personnaliser le décor, elle avait disposé sur les tables de chevet quelques photos évoquant sa carrière, ses interprétations dans les grands ballets classiques, ses triomphes. Mais aussi ses débuts timides à l'école des Petits Rats de l'Opéra.

La gorge sèche, elle prit une eau gazeuse dans le mini-bar, puis elle se laissa choir dans le fauteuil et, pendant un long moment, resta pensive.

Elle sentit sa poitrine se serrer. Deux images se télescopaient dans son esprit : celle où elle se lançait dans un époustouflant pas de deux au rythme de la musique de Bizet devant son public... A l'Opéra où elle connaissait chaque recoin, où elle se sentait chez elle. Et celle où elle se voyait sur une scène américaine, dansant devant un public glacé qui lui refusait ses applaudissements.

Elle éclata en sanglots et pleura longtemps. Son rimmel coula. Ses yeux la brûlèrent. Elle se précipita dans la salle de bains pour s'humecter le visage. Et, sans réfléchir, elle fouilla dans l'un de ses beauty cases.

Elle avala quelques comprimés de tranquillisant en buvant une gorgée d'eau. Sa soif lui parut inextinguible. Elle ouvrit à nouveau le mini-bar pour choisir une eau minérale.

Découvrant les petites bouteilles d'alcool, machinalement elle en saisit une. Celle qui, par sa forme, lui parut la plus jolie. Et, comme elle voyait souvent son fiancé le faire, elle mélangea le Défender au Perrier. Elle qui ne buvait jamais de whisky !

La boisson et les calmants eurent un effet délirant. La sonnerie la fit sursauter. Attendant un appel d'Eric, elle décrocha, le cœur battant.

Elle resta un moment silencieuse, écoutant son interlocuteur. Puis elle répondit, par mots entre-coupés :

— C'est si important que cela ?... Les bateaux-mouches ! Tout de suite ?... Mais, ça ne peut pas attendre... Bon, d'accord !

« Au fond, se dit-elle, ce n'est pas une mauvaise idée. J'ai l'impression que ma tête va éclater. Cela me fera du bien de marcher ! »

Puis, elle enchaîna ses actes, comme un automate et sans plus réfléchir. Elle prit une veste douillette aban-donnée sur un fauteuil et sortit, sans oublier la petite carte perforée pour ouvrir la porte, bien plus pratique que des clefs.

Dans le hall, elle demanda qu'on lui appelât un taxi. Le portier fut d'une rare efficacité. Quelques instants plus tard, très respectueusement, il ouvrit la porte arrière d'une Mercedes. Il était parvenu à obtenir une voiture de luxe !

Pour rejoindre les quais, elle avait choisi son itiné-raire. Les Champs-Elysées. La Concorde. Elle aimait Paris la nuit.

En passant à proximité du restaurant « Ledoyen », elle eut un frisson.

« Dire qu'il y a seulement quelques heures, j'étais la reine de cet établissement... Et que je quitte tout cela pour l'inconnu... »

Elle fit arrêter la voiture près du pont, donna un billet de 200 francs au chauffeur et ne prit pas le temps d'attendre la monnaie.

Quelques gouttes d'orage tombèrent sur son visage. Les paroles d'une chanson oubliée remontèrent à sa mémoire :

— Une petite fille en pleurs, dans une ville en pluie...

Elle avait l'impression étrange d'être épiée. Suivie. Elle sentait une présence invisible, mais réelle, à ses côtés. Elle se retourna. Seuls, quelques passants accentuaient leur allure pour éviter l'averse. Elle crut reconnaître la silhouette trapue de Loriac. « Il a sans doute été s'enivrer à la bière », pensa-t-elle avant de le chasser de son esprit.

Au bout de la place, les voitures passaient à grande vitesse avant de s'engouffrer dans le tunnel qui longe les quais.

Avisant la rampe conduisant à l'embarcadère des bateaux-mouches, elle l'emprunta pour descendre près de l'eau. Elle marcha ainsi tout au bord, écoutant le clapotis et le bruit des cordages qui tiraient les amarres.

« Pauvres bateaux, songea-t-elle, ils ne connaîtront jamais le grand large, condamnés qu'ils sont à descendre le fleuve et à le remonter sans cesse, comme des chevaux de cirque qui tournent inlassablement dans la sciure de la piste... C'est curieux, ils sont tous éteints, et je n'en vois pas arriver... »

Sous les rayons de lune, les arbres dessinaient autour d'elle des ombres fantasmagoriques qui semblaient la retenir dans un immense filet aux mailles torturées. Elle observa l'eau noire dans laquelle, parfois, de lourdes bulles parvenaient avec peine à éclater à la surface.

Elle scruta l'obscurité pour chercher la silhouette de son correspondant qui venait de lui demander expressément de venir.

Soudain, elle sentit qu'on l'observait dans l'ombre avec hostilité. Elle crut entendre le craquement de brindilles de bois mort écrasées sous un pas. Elle suspendit sa respiration pour mieux écouter les bruits de la nuit. Seul le clapotis des vaguelettes troublait le silence.

« Que je suis sotte de l'avoir écouté ! Que fais-je ici pendant que je pourrais être si bien dans mon lit, à l'abri dans ma chambre du " Baltimore ". Il faut être folle ou totalement inconsciente pour venir seule ici, à cette heure ! Avec tous les détraqués qui courent les rues ! »

Son sang se glaça. Sentant la panique l'envahir, elle décida de remonter sur le quai.

La lune disparaissait derrière un lourd nuage. Le brouillard s'épaississait. Il faisait frisquet. Pour retrouver sa maîtrise d'elle-même, pour débloquer son plexus solaire, et pouvoir puiser en elle la force qui s'avérait indispensable pour se retourner et quitter cet endroit sinistre, pour affronter un danger — s'il n'existait pas que dans son imagination — elle voulut prendre une grande inspiration, comme Vladimir le lui avait enseigné au long de ses cours.

— Respire lentement, lui disait-il. Profondément. Dans l'air on tire l'énergie, le courage et la volonté.

Nicole rejeta les épaules en arrière pour respirer longuement et remplir ses poumons d'air frais qui l'oxygénerait et chasserait son angoisse.

Soudain, deux mains puissantes lui enserrèrent le cou et l'étranglèrent, en la soulevant presque de terre.

Elle voulut crier, appeler au secours, mais aucun son ne pouvait sortir de sa gorge. Et pour cause...

Elle fit un effort désespéré pour rétablir son équilibre et se dégager...

Mais l'étau l'immobilisait.

La Seine, le pont, les maisons, les arbres, le ciel, basculaient en se teintant de rouge. Déjà son esprit s'engourdissait. Mais, réalisant tout de même qu'on était en train de la tuer, avec une force désespérée, elle se jeta violemment en arrière en tournant la tête de côté pour libérer sa pomme d'Adam de l'écrasement des doigts.

Elle aperçut alors le visage de son agresseur, et aussitôt se sentit catapultée en avant. Ses bras battirent l'air avant de tomber dans l'eau noire.

Elle sentit d'abord un froid intense. Puis remonta une première fois à la surface. Elle hurla, mais à nouveau tout redevint noir et l'eau emplit sa bouche, ses poumons.

L'image apaisante de sa mère lui apparut enfin devant les yeux alors que les lumières de la ville s'éteignaient...

**
*

Sur le pont, l'esprit embué par l'alcool qu'il avait ingurgité au cours de la soirée passée chez des amis, François Clessy essayait, pour marcher droit, de suivre une ligne imaginaire. Mais tous les dix pas, sa route déviait, tantôt à droite, tantôt à gauche.

Préférant rentrer chez lui dégrisé, il avait jugé opportun de revenir à pied plutôt qu'en taxi. Mais il commençait à regretter cette décision, car la première sensation de fraîcheur et de bien-être passés, il trouvait désagréables les morsures du froid sur son visage congestionné.

Il entendit le bruit sourd d'un corps qui tombe à l'eau. Mais, loin de se douter du drame qui se déroulait à quelques dizaines de mètres de lui en contrebas et presque sous ses yeux, il n'y prêta pas d'attention. Par contre, le cri déchirant le tira de sa rêverie intérieure. Il lui fallut tout de même quelques centièmes de secondes pour faire le tri entre son imaginaire éthylique et la poignante réalité. Un deuxième appel au secours plus fort, plus tragique, lui fit prendre immédiatement conscience de la situation. Il se pencha par-dessus le parapet, les yeux écarquillés. L'idée héroïque d'enlever sa veste et de plonger lui vint à l'esprit. Mais sa confortable logique associée à un instinct viscéral de conservation lui commanda de repousser cette éventualité.

« Je ne sais pas suffisamment nager. De plus, avec la dose d'alcool que j'ai avalée, je coulerais à pic. Les bouées où sont-elles ? »

Un dernier appel désespéré, le troisième, lui parvint alors qu'au bout du pont il entrevoyait une ombre qui s'enfuyait en se dissimulant derrière les arbres. Une sueur froide l'envahit. Son regard scrutait l'obscurité de ce ruban de Seine sur lequel les réverbères plantaient des diamants scintillants. Cloué sur place, il se demanda un instant s'il n'était pas la proie d'un cauchemar dû à une digestion difficile. Mais très vite, il prit conscience de la réalité, tragique dans sa simplicité. En même temps qu'il se rendait compte que le fuyard avait disparu et que le fleuve était devenu silencieux.

« Je suis vraiment un pauvre type, se dit-il, amer. Un lâche ! J'ai laissé quelqu'un se noyer sans trouver le moyen d'être efficace. Pourquoi ne me suis-je pas précipité au bord de l'eau ? J'ai tout simplement eu peur que l'assassin surpris dans l'accomplissement de son crime, ne me fasse subir le même sort. Comment je vais expliquer cela maintenant ? Je me sens incapable d'avouer ma peur à ma femme. Aux flics ? Que penseraient-ils de moi ? De toute façon, maintenant, il est trop tard. Ma déposition ne servirait à rien. Elle ne ramènerait pas la noyée à la vie. Après tout, que la Police fasse son boulot.

Sur ces réflexions, Clessy se remit en marche, non sans avoir fait un rapide tour d'horizon pour être bien sûr que la scène n'avait pas eu d'autres témoins que lui. Il accéléra l'allure, de plus en plus vite, comme si l'assassin et sa victime lui avaient emboîté le pas...

Arrivé rue Daunou, Clessy avisa le « Harry's Bar ». Il commanda un whisky bien tassé, qu'il avala d'un trait. Puis il commanda un autre Defendeur. Après un temps de réflexion, il se dirigea vers la cabine téléphonique.

Son cœur battait fort mais il se refusait à établir encore une fois le constat de sa veulerie. Son doigt tremblait nerveusement quand il composa le 17 sur le cadran.

« Vous avez appelé la Police... ne quittez pas... Vous avez appelé la Police... ne quittez pas... »

Au bout du cinquième message enregistré, il eut enfin un interlocuteur au bout du fil.

— Allô ! Police. J'écoute...

Clessy dit alors à voix haute ce qu'il s'était répété sans cesse entre ses gorgées de whisky.

— Une femme s'est noyée à la hauteur du pont de la Concorde. Je passais sur ce pont et j'ai entendu ses appels au secours...

Puis il voulut se justifier :

— Je n'ai rien pu faire. Je ne sais pas nager. Il faut me comprendre...

Clessy allait parler de l'ombre furtive aperçue entre les arbres quand le policier lui demanda :

— Qui êtes-vous ? D'où appelez-vous ?

Alors, il se souvint d'une lecture ou d'un film regardé à la télévision où l'on voyait trois policiers localiser un appel téléphonique dans le plus bref délai. Il eut peur de voir surgir des képis devant la glace de la cabine. Considérant que chaque seconde jouait contre la certitude de son anonymat il raccrocha, à la fois soulagé et inquiet. Il aurait voulu se confier à quelqu'un. Mais à qui ? Si cet épisode dramatique lui avait permis d'avoir le beau rôle, tout aurait été plus facile. Les mots seraient venus d'eux-mêmes et l'auditoire attentif l'aurait congratulé. Mais il ne se trouvait vraiment pas dans ce cas de figure.

Il vida son verre en pensant à la personnalité de la noyée. Qui était-elle ? Après avoir imaginé plusieurs éventualités, il retint celle de la prostituée éliminée par un proxénète, ou encore celle de la pocharde. Une affaire de clochards. Pourtant, se souvenant que la voix n'était pas éraillée, il opta pour la demoiselle de petite vertu, considérant que l'on n'échappe pas au Milieu. C'est bien connu...

Le brigadier Canson nota scrupuleusement l'heure de l'appel et la surprenante déclaration. Il avisa le commissariat central du Huitième pour qu'un fourgon de Police Secours puisse se rendre sur place. Dans la matinée, les patrons prendraient leurs responsabilités en prévenant, ou non, la Brigade Fluviale. Mais dans son rapport, le nuiteux ne manqua pas de mentionner que l'informateur paraissait sincère et non en état d'ébriété.

Vers dix heures, le lendemain matin, la vedette rapide de la Fluviale quittait son port d'attache de Charenton, avec à son bord, une équipe de recherche de trois plongeurs.

Elle se rendit à vitesse normale jusqu'au pont de la Concorde. Puis de là, moteur au ralenti, elle commença à inspecter les lieux mètre par mètre. Le patron de l'équipe, habitué à ce genre d'exercice devenu pour lui une simple routine, expliqua à un jeune homme-grenouille qui venait tout juste d'être affecté à la Brigade :

— En fonction de l'heure de l'appel, on peut considérer que le cadavre est à la flotte depuis sept ou huit heures. Avec le courant il devrait se trouver — si cadavre il y a ! — à la hauteur de la maison de la Radio, peu après le pont de Grenelle, dans une zone abritée où le courant est quasiment nul. Ce ne sera d'ailleurs pas le premier que l'on repêchera à cet endroit. On le repère assez vite car c'est là que s'amoncellent des morceaux de planches pourries et autres saloperies rejetées par la Seine.

« Les plongeurs devront se mettre à l'eau car le voyage du noyé s'effectue en trois étapes. Il descend d'abord au fond, car sa densité est de 1 100, et il est entraîné par le courant. Ensuite, il arrive dans un endroit calme et il est retenu par les herbes, les racines, et il y séjourne. Enfin, troisième phase, sous l'influence des gaz il remonte. Mais pour le cas qui nous concerne aujourd'hui, nous n'en sommes pas là ! Il y a fort à parier que les gars vont le récupérer entre deux eaux !

Quand ils arrivèrent à la hauteur des tours du Quinzième, la vedette s'immobilisa.

— A vous de jouer, messieurs, précisa le chef en s'adressant aux plongeurs qui, sans enthousiasme, enfilaient leurs épaisses combinaisons noires de néoprène.

— Bon ! quand faut y aller, faut y aller ! soupira Patrice Martinon en ajustant son masque.

Les trois hommes descendirent par l'échelle, emportant avec eux des torches très puissantes. Ils se placèrent en ligne, à deux mètres les uns des autres, et ils disparurent sous l'eau pour commencer leur ratissage. Les bulles qui s'échappaient à la surface permettaient de suivre leur progression.

Au bout de quelques minutes seulement, l'un d'eux réapparut et, nageant sur le côté, se rapprocha du bateau. Les deux autres nageurs paraissaient lui servir d'escorte en l'aidant à traîner le fardeau. Le pilote avait compris. Il manœuvra pour se rapprocher, alors que le chef, s'appuyant sur le bastingage et le corps à moitié en dehors, tendait le bras pour permettre à l'équipe de hisser le cadavre à bord de la vedette, avec ménagements pour ne pas provoquer des ecchymoses qui risqueraient de compromettre les conclusions du médecin légiste.

Le pilote lâcha un juron :

— Quel dommage ! Ça a dû être une sacrée jolie fille ! Un peu maigre ! Mais quand même...

Il fallait posséder une expérience professionnelle bien solide pour se livrer, sans erreur, à une telle déduction. Le corps de la jolie danseuse, de celle qui, la veille, avait soulevé enthousiasme et admiration, n'était vraiment pas beau à voir. Dans des globes oculaires distendus, des pupilles rondes et immenses fixaient l'éternité. La cyanose avait teinté le visage en bleu alors qu'une mousse rose apparaissait régulièrement aux commissures des lèvres. La rigidité des muscles horripilateurs donnait à la peau l'apparence de la chair de poule.

Par radio, le chef de la patrouille prévenait l'état-major qui se chargeait d'alerter la Police Judiciaire pour l'établissement du constat et les premières démarches, à savoir, tenter d'abord l'identification.

La vedette effectua un demi-tour en règle et prit de la vitesse. A son bord, les policiers demeuraient silencieux. Indifférents aux cadavres quand il s'agissait de vieillards ou de truands, malgré eux ils ne parvenaient pas à rester insensibles à la fin tragique d'une jolie fille fauchée au moment où la vie devait être la plus belle. En principe !

Quand ils accostèrent, un comité d'accueil les attendait au ponton.

— Ils ont fait vite ! s'exclama l'un des plongeurs.

— Pourtant, maintenant rien ne presse pour elle...

Les spécialistes intervinrent dès que la civière fut déposée sur le sol. Après une fouille préliminaire, un inspecteur plaça dans des petits sacs en plastique les objets trouvés dans les poches. Un tube de rouge à lèvres. Quelques pièces de monnaie et surtout un porte-clefs en forme de danseuse sur pointes, et sur lequel un nom était gravé : Nicole Fontange, et une adresse : « Hôtel Baltimore » — 88 bis, avenue Kléber — Paris — 75008.

L'enquêteur fit part aux autres de sa trouvaille.

— On va gagner du temps pour l'identification.

Le médecin, appelé pour constater, selon l'expression consacrée, que la mort est réelle et constante, ajouta :

— J'ai lu récemment un article sur le Figaro. Je suis à peu près certain qu'il s'agit de la danseuse étoile de l'Opéra, qui devait faire ses adieux à Paris un de ces soirs. Des adieux qui, cette fois, seront absolument définitifs !

— C'était peut-être hier, ajouta le policier en uniforme. Je suis passé vers vingt-deux heures dans le quartier. L'Opéra était tout illuminé. Quelle affaire !

L'inspecteur, Philippe Dyriat, regagna un bureau et avisa un téléphone, où il composa le numéro inscrit sur la petite carte magnétique.

— « Hôtel Baltimore ». Bonjour !

— Pourrais-je savoir par qui la chambre 103 est occupée, et si le ou la locataire est là actuellement ?

Voulant préserver la tranquillité des clients, le réceptionniste émit quelques réserves.

— Désolé, monsieur. Vous comprendrez que nous ne pouvons pas fournir ce genre d'information.

— Alors, vérifiez si la chambre est occupée. Ici, c'est la Police. Inspecteur Dyriat.

— Ne quittez pas... Inspecteur, la chambre 103 ne répond pas.

— Alors, allez voir si le lit a été défait, ou non.

La réponse lui fut donnée quelques minutes plus tard.

— La personne qui occupe cette chambre n'a pas dormi à l'hôtel cette nuit.

— Alors, son nom ?

— Il s'agit de Nicole Fontange, la danseuse de l'Opéra. J'espère qu'il n'y a rien de grave...

Pour éviter de s'expliquer par téléphone, l'inspecteur raccrocha et alerta sans retard le patron de la Police Judiciaire. Quand il l'eut en ligne, il lui établit un rapport aussi circonstancié et précis que possible. Avec la mort d'une vedette, quelle qu'en soit la cause, l'affaire prenait une tout autre dimension.

— Veillez à ce qu'aucune information ne filtre. Cette noyade va faire du bruit. Je préfère que la Presse soit avertie le plus tard possible. Si les journalistes apprenaient cette disparition, ils ne manqueraient pas de venir assiéger mon bureau. Et je n'ai pas envie de les voir. Continuez votre enquête préliminaire. Je préviens immédiatement le procureur de la République. Faites transporter le corps à l'Institut médico-légal. Et nous ferons le point en fin de journée.

— Bien, monsieur le divisionnaire.

— Je vous envoie Chaussin en renfort. Il se chargera de prévenir la famille pour qu'elle vienne reconnaître le corps.

Philippe Dyriat se sentit soulagé de ne pas avoir à remplir lui-même cette formalité douloureuse. Il avait encore présent à la mémoire le visage torturé par le chagrin de cette femme à laquelle il apprenait que son fils venait de se tuer en moto.

Le break Renault de la Police stationna en double file devant le numéro 88 bis de l'avenue Kléber.

Dyriat et Chaussin s'engouffrèrent dans l'hôtel et

demandèrent à parler au directeur. Une femme, faisant preuve de beaucoup d'assurance, les invita à la suivre dans son bureau.

— Inutile d'inquiéter nos clients avec la Police dans nos murs. Puis-je connaître l'objet de votre visite, messieurs ?

— Je crains d'avoir à vous annoncer une mauvaise nouvelle, expliqua le vieil inspecteur principal. On a repêché le corps d'une jeune femme ce matin dans la Seine. Elle avait sur elle une carte magnétique de votre hôtel avec son numéro de chambre. Tout laisse à penser qu'il s'agit de Nicole Fontange, qui était descendue chez vous.

— Mais ce n'est pas possible. Après le gala, elle a dîné chez « Ledoyen ».

La directrice appela le concierge par téléphone. Puis elle précisa :

— Effectivement... Mlle Fontange est revenue à l'hôtel mais peu après, elle a demandé qu'on lui appelle un taxi. Mais que s'est-il passé ?

— Il est encore beaucoup trop tôt pour le savoir... Un suicide, peut-être... Voulez-vous nous conduire à sa chambre. Nous agirons le plus discrètement possible.

— Je vous en serai reconnaissante.

Sur une table de nuit, Dyriat trouva un cahier qui contenait le journal intime de la danseuse. L'écriture était élégante. Dans les dernières pages, les lettres, harmonieuses au début, étaient moins fermes pour devenir presque illisibles à la fin du texte. Il n'était pas nécessaire d'être un expert en graphologie pour se rendre compte que l'auteur de ces lignes devait être en proie à un grand tourment au moment où la main guidait la plume.

Elle y avait inscrit un poème de Ramon Frontera Ferrer :

> A contre cœur
> Les amants se séparent
> A contre amour
> Les serments se déchirent

A contre vérité
Le cœur vacille
A contre envie
Les corps s'éparpillent

A contre cœur
Les regards s'enfuient
A contre amour
Le cœur se replie
A contre vérité
La solitude se place
A contre envie
L'âme se glace

A contre cœur
On reprend le chemin
A contre amour
On rejoint son destin.

Dans les pages suivantes, Nicole livrait le fond de son âme.

« C'est terrible d'être indécise comme je le suis. Pour moi, c'est un déchirement de tourner la page. Pourtant, il le faut. Ce serait une erreur de rester à Paris. J'ai fait le tour de l'Opéra. Il ne peut plus rien m'apporter. La perspective d'une nouvelle carrière devrait me séduire. Et pourtant, elle m'angoisse. Je ne peux me défaire d'un affreux pressentiment. Quelque chose me dit que je ne connaîtrai jamais la consécration américaine. Et je ne parviens pas à me détacher de cette idée obsessionnelle... Mon psychanalyste me dit qu'il ne faut pas être superstitieuse... Mais comment ne pas l'être ? J'ai envisagé de renoncer à partir. Mais cette décision me rendrait encore plus malheureuse. Je suis prisonnière d'un dilemme... Qui pourra m'en libérer ? La mort peut-être... Mais il faut aussi du courage pour se suicider. Et je crois que je ne l'aurais pas. »

Chaussin enregistra la déposition de Fanny, une femme qui était au service de Nicole depuis toujours.

Elle confirma que la danseuse paraissait très déprimée ces derniers temps. Elle se souvint même qu'un jour, Nicole lui avait confié qu'elle se trouvait devant un choix impossible et que, ne pouvant rien décider, sans déchirement, elle préférerait ne plus exister.

Sur un carnet d'adresses, les enquêteurs trouvèrent rapidement les coordonnées des parents de Nicole.

— Vous allez d'abord faire reconnaître le corps. Puis je les préviendrai, expliqua l'inspecteur principal à son subordonné. Mais avant, je vais aller manger. J'ai l'estomac dans les talons ! Je t'emmène ?

— Non, merci. Je dois déjeuner avec mon parrain qui est de passage à Paris. Mais j'avoue que cette affaire me coupe l'appétit. D'autant plus que sa petite-fille, Aurélie, une danseuse elle aussi, connaissait bien la victime. Elles ont dansé ensemble à l'Opéra.

— C'est le métier qui rentre, mon bonhomme ! Il faut t'endurcir. Massillon te le dira. Le drame est souvent notre lot quotidien. Tu devras t'habituer à fréquenter les macchabées !

L'inspecteur décida d'aller à pied rue de Marignan. Tout en remontant l'avenue Kléber, il ne parvenait pas à distraire son esprit de ce drame. Il se posait sans cesse cette question :

« Pourquoi, quand on est jeune, belle, célèbre, à l'abri du besoin, et qu'en plus on a un grand amour dans sa vie, pourquoi est-on ainsi conduit au suicide ? »

Arrivé à l'Etoile, il se sentit plus ému qu'il n'aurait voulu l'être. Un sentiment de révolte germait en lui.

« Quand il s'agit d'un crime, pensait-il, la recherche de l'assassin nous donne l'impression de pouvoir faire encore quelque chose pour la victime. Mais quand celle-ci s'est donné la mort volontairement, notre rôle à nous, policiers, se trouve bien limité. »

Le jeune inspecteur éprouvait une profonde affection pour ce brave Joseph qui n'avait cessé de lui apporter — depuis la mort de son père, juste avant sa première communion — un soutien moral et matériel, doublé d'une aide efficace et de conseils judicieux. L'idée de lui rendre visite lui aéra l'esprit et c'est d'un pas léger qu'il tourna dans la rue Marignan.

Quand il entra au restaurant « Le Régine's Montaigne », jouxtant l'Elysées Marignan, le maître d'hôtel le conduisit à la table du Commissaire Massillon qui l'attendait en dégustant une coupe de champagne.

Dès son arrivée, l'inspecteur s'aperçut que son parrain et sa femme n'étaient pas dans leur état habituel. Le premier affichait un visage soucieux et Lucie avait les yeux rougis et la mine défaite.

— Que se passe-t-il ? demanda-t-il, inquiet.

Pensant soudain à leur petite-fille, il ajouta :

— Comment va Aurélie ?

Le commissaire répondit :

— Bien. Mais nous venons d'entendre à la radio la mort de Nicole Fontange, la danseuse Etoile. Elle était très liée avec notre petite-fille.

— Quand je pense, ajouta Lucie, d'une voix mouillée, que nous l'avons vue hier soir à l'Opéra. Elle était si belle...

— A la Radio, dites-vous ?

— Oui. Le journaliste l'a annoncé en ouverture du journal.

— C'est un comble. Mais comment l'a-t-il su ?

— C'est quelqu'un qui a téléphoné à la station, a dit le présentateur. Mais il ne s'agit pas d'un sinistre canular, tu te doutes bien qu'ils ont vérifié leur information avant de la lancer sur les ondes.

Le filleul précisa :

— Je suis désolé pour vous et pour Aurélie. Je ne peux, hélas ! que vous confirmer la triste nouvelle. J'ai été chargé de l'affaire. J'arrive de son hôtel, « Le Baltimore ». Elle s'est certainement suicidée. J'ai retrouvé dans son journal intime des pensées qui ne laissent guère de doute sur ses intentions.

Pour le choix du menu, Philippe Dyriat opta comme pour son parrain pour la formule slave. Les deux hommes se laissèrent aller à vider quelques petits verres de vodka poivrée de la meilleure qualité. Il ne manquait que la balalaïka. Les mets étaient succulents. Mais, vu les circonstances, le cœur n'y était pas.

Au moment du café, Philippe téléphona à la PJ pour prendre d'éventuelles consignes. C'est ainsi qu'il apprit que son Patron avait enregistré la déposition du docteur Marc Lansac. Ce psychanalyste confirmait que Nicole Fontange avait eu plusieurs fois des tendances suicidaires.

Quand il eut raccroché, le jeune inspecteur en tira les conclusions.

— Elle s'est jetée à l'eau ! Ça fait un moment qu'elle flirtait avec la mort. On n'a pas pris sa dépression au sérieux. Voilà où cela l'a conduite. Le substitut du Procureur a quand même ordonné l'autopsie. Je passerais bien l'après-midi avec vous. Mais j'ai du boulot.

Massillon proposa :

— Lucie doit aller dans les grands magasins. Ce genre d'expédition n'est vraiment pas ma tasse de thé. Si tu le veux bien, je vais t'accompagner. Ça me rappellera le bon temps.

Quand les deux hommes eurent quitté le restaurant, Lucie eut une pensée à la fois émue et contrariée pour son mari qui éprouvait — bien qu'il affirmât toujours le contraire — une nostalgie pour son métier de policier qu'il avait pratiqué toute sa vie avec passion et dévouement.

Quand ils arrivèrent devant l'entrée de l'Institut Médico-Légal, le jeune inspecteur voulut rassurer son parrain.

— Ne t'inquiète pas. Avec moi, ils te laisseront entrer.

S'il avait regardé Massillon à ce moment-là, il aurait pu lire dans son regard gris acier et, dans un petit sourire narquois, la pensée amusée du vieux commissaire.

Dès qu'ils furent à l'intérieur, un employé en blouse blanche se dirigea vers eux, la main tendue :

— Tiens ! Patron ! Ça fait plaisir de vous revoir.

— Oui. Surtout vivant ! précisa ledit Patron. Ça va toujours ? Fidèle au poste ?

— Toujours. Et je m'en félicite. On a moins de soucis avec les morts qu'avec les vivants. Quel bon vent vous amène ?

— Bon vent...

— Façon de parler.

— J'accompagne l'inspecteur Dyriat. Mon filleul. Il vient pour la petite de ce matin.

— La danseuse ?

— Oui.

— C'est moi qui l'ai réceptionnée, la petite. Bon Dieu, qu'elle est fine ! Elle aurait dû réfléchir un peu plus avant de... Elle aurait dû venir nous voir. On lui aurait montré nos frigos. L'envie d'en finir lui serait vite passée. Je vais prévenir le directeur que vous êtes là. C'est Bonnet qui a pratiqué l'autopsie. A l'heure qu'il est, il ne devrait pas tarder à nous la rendre, pour qu'on lui fasse une beauté. On fera de notre mieux pour qu'elle arrive belle chez le Bon Dieu.

— C'est bien, Charvin, je te reconnais bien là.

— Que voulez-vous, Patron, on ne se refait pas.

Massillon fit quelques pas dans le couloir. Des bribes de souvenirs, tous liés à des affaires, revenaient à son esprit.

— Ça n'a pas beaucoup changé, finit-il par dire. Ils ont repeint la partie réservée au public. Mais derrière, ça m'a l'air aussi vétuste.

Par une petite fenêtre donnant sur une cour intérieure, il montra une statue :

— Elle penche de plus en plus. Chaque année, on croit qu'elle va s'écrouler. Elle reste debout. Ce sont les hommes qui tombent...

Le directeur, un homme petit, trapu, et affable, tel qu'on ne se l'imaginait pas dans ces lieux, vint à leur rencontre et les conduisit dans son bureau. Il parla de son Institut comme d'une affaire plaisante qui tournait bien malgré le manque de crédits. Le médecin légiste les rejoignit, avec ses notes sous le bras. Il en fit part d'autant plus volontiers aux policiers qu'il n'avait rien trouvé de compromettant.

— Nous nous trouvons, expliqua-t-il, en face d'une noyade des plus classiques. Les poumons ont doublé de volume et contiennent de la vase. Les petites hémorragies au niveau des lobes sont dues aux mouvements respiratoires violents, puis agoniques. On a retrouvé dans le sang un dosage d'alcool assez important avec, en plus, des traces de barbituriques. Un cocktail détonant.

— Il s'agit donc bien d'un suicide ? demanda Dyriat.

Le vieux légiste sourit :

— A chacun son métier, inspecteur ! Ce sera à vous de le démontrer. Je me garderai bien d'énoncer la moindre conclusion dans un sens ou dans un autre. Je me limite à l'examen clinique. Néanmoins cette thèse paraît plausible puisque la jeune fille n'a subi aucune espèce de violence et qu'elle ne porte aucune trace suspecte. Voilà, je ferai partir mon rapport au substitut ce soir.

L'inspecteur Dyriat rejoignit le quai des Orfèvres pour faire part de ses observations à son patron.

L'ex-commissaire poursuivit son chemin à pied. Tout en marchant d'un bon pas, il se livrait à une minutieuse analyse.

« Elle est des plus déprimées. Après son gala d'adieu, elle regrette d'avoir signé le contrat avec les Américains. Physiquement, elle est épuisée. Elle boit pendant le souper. Puis elle se retrouve seule, et prend des somnifères pour lutter contre son angoisse. Tout devient intolérable. Elle décide d'en finir.

Tout se tient. Tout est logique. »

Et, au moment où le commissaire Massillon en arrivait à penser qu'il y avait trop de logique dans ce drame, il faillit être renversé par une voiture.

On ne peut pas essayer d'élucider une énigme et faire, en même temps, attention aux feux rouges.

# CHAPITRE II

Aurélie fut très affectée par la mort de son amie d'enfance. Une mort qu'elle ne s'expliquait pas. Elle ne parvenait pas à admettre que Nicole ait pu sombrer dans une dépression aussi profonde, car la danseuse avait toujours fait preuve de volonté et de courage. Ainsi, il lui en avait fallu une bonne dose pour parvenir au sommet de son art. Le suicide ? Ce n'était pas son style. Elle était trop combative. Trop motivée, pour se laisser aller à une telle extrémité.

Aurélie se souvenait avec émotion de leurs tête-à-tête devant une tasse de thé, au « Café de la Paix », sur les Grands Boulevards. Elle prêtait toujours une oreille attentive à son amie qui lui confiait, tout naturellement, ses difficultés, ses soucis, mais en affirmant qu'elle triompherait sans trop de tourments, du moins sans qu'ils durent trop longtemps. Avec une franchise déconcertante, elle avouait qu'elle était passablement égoïste ! Et, tout de même pour se justifier, elle expliquait alors que l'on devient forcément égocentrique quand la gloire vous a souri et que, sur scène, et ailleurs, tout gravite autour de vous.

La petite-fille de Joseph Massillon voulut assister aux obsèques et se rendre ensuite au cimetière où aurait lieu l'inhumation. Dans un caveau de famille à La Hauteville, une toute petite commune des Yvelines, en lisière de la forêt de Rambouillet.

Le commissaire détestait souverainement toutes formes de cérémonies qu'il cataloguait comme des manifestations d'exhibitionnisme social, allant même jusqu'à déclarer que son vœu le plus cher serait de ne pas assister à son propre enterrement ! Pourtant, le jour où Nicole Fontange devait être conduite en sa dernière demeure, il insista pour accompagner Aurélie. Celle-ci pensa que son grand-père voulait, par sa présence, lui apporter un peu de réconfort. Ce qui était sans doute le cas. Mais le commissaire, qui réagissait également en professionnel, désirait découvrir l'environnement de la disparue. Ses parents, tous ses amis, seraient là, pour un ultime adieu. Et peut-être, parmi eux, se trouverait... son assassin.

L'église Saint-Pierre, avenue du Roule, à Neuilly, se remplissait d'une foule recueillie... Le prêtre, le vieux Père Borie qui la baptisa vingt-sept ans plus tôt, avait remplacé le noir des offices funèbres par le blanc, symbole de la pureté. Pour lui, Nicole était encore une enfant. Un drap ivoire frangé d'or, recouvrait le cercueil sur lequel la mère affligée avait tenu à déposer, sur un coussin de velours cramoisi, deux petits chaussons roses et le diadème que la danseuse étoile portait quand elle prêtait son corps et sa grâce à la princesse de la Belle au bois dormant.

D'importantes gerbes de roses, de lys, de lilas blanc et de chrysanthèmes du Japon, voisinaient avec de simples bouquets d'anémones et de mimosas, déposés par des mains anonymes, celles qui, à l'Opéra, l'applaudissaient du deuxième balcon.

Le visage impassible, les traits tirés, murés dans leur douleur, les parents se tenaient au premier rang. Le père, à forte carrure, paraissait flotter dans son costume sombre. La mère, longue et mince, se raidissait dans son chagrin muet, mais son visage prenait l'aspect du parchemin. Au fil des heures, depuis le drame affreux, elle semblait se momifier.

Debout, très pâle, Eric avait un air absent, comme pétrifié.

Derrière toute la parenté — oncles, tantes, cousins et cousines — se tenait la grande famille de la Danse qui, dans cette circonstance tragique, oubliait pour l'heure ses querelles intestines et ses rivalités, unifiée dans la peine et dans les regrets, devant celle dont ils avaient parfois critiqué le comportement dans la vie courante, qu'ils jalousaient souvent, mais dont ils admiraient le grand talent.

Le maître de ballet, le vénéré Vladimir Oustrine, paraissait prostré. Un tic lui déformait la bouche à intervalles réguliers. Le teint cireux, les yeux gris enfoncés dans d'énormes orbites, la bouche ouverte, il happait l'air plus qu'il ne respirait. Parfois, il prenait une bruyante inspiration pour tenter d'écarter le cercle de fer qui semblait lui enserrer la poitrine.

Laura, l'habilleuse, la tête penchée, pleurait doucement. Personne ne pouvait imaginer la jolie Nicole Fontange, avec le masque de la mort. Chacun la visualisait en scène, dans l'émouvante attitude du cygne blessé exhalant son dernier souffle. Et, en fixant le cercueil où elle reposait pour l'éternité, en écoutant le Requiem chanté par une voix de cristal, on se surprenait à penser qu'elle allait se réveiller comme Gisèle, pour se joindre aux autres sylphides dans leurs démentes et hallucinantes arabesques.

Massillon et Lucie, sa femme, occupaient deux chaises sur le côté, près de la chapelle de Sainte-Thérèse. Au moment de l'absoute, le commissaire adressa un message silencieux à celle qui venait d'entrer dans l'Au-Delà.

« J'ignore tout ce qui s'est passé. Si vous avez voulu mourir, je souhaite du fond du cœur que vous ayez trouvé la paix. Mais s'il s'agit d'un meurtre, alors je démasquerai votre assassin. Même si pour cela je dois partir à Tombouctou. Je le traquerai là où il ira. Et je ne connaîtrai le repos de l'esprit que lorsqu'il aura subi son châtiment. »

Du coup, le commissaire Massillon se mit à voir l'assistance d'un œil différent. Tous ceux qui la composaient devenaient des suspects !

L'odeur âcre de l'encens se répandit dans l'église, alors qu'une fumée bleuâtre enveloppait le catafalque. Toutes les danseuses de l'Opéra, du petit rat aux étoiles, remontèrent la nef deux par deux, respectant la tradition et le cérémonial du grand défilé, pour effectuer une dernière révérence devant celle qui, si long-temps, leur avait servi d'exemple en symbolisant le courage et la réussite.

Les accents de la Marche des Troyens, de Berlioz, paraissaient encore plus angoissants, plus pathétiques.

Dehors, la température devait frôler zéro degré. Le ciel était bas, chargé de neige. On sentait qu'elle allait tomber. Avant de prendre l'autoroute de l'Ouest, en direction de La Hauteville, Massillon et ses deux passagères entrèrent au café de la Porte de Saint-Cloud pour avaler une boisson chaude. Les fontaines de la place, gelées depuis plusieurs jours, donnaient un air féerique au décor. Le commissaire commanda un café dans lequel il ajouta un petit verre de marc. Lucie et sa petite-fille demandèrent un thé.

— Je suis heureuse de vous avoir avec moi, dit doucement Aurélie. Sans vous, je serais encore plus triste. Avec toi, grand-père, je me sens en sécurité. Et je suis bien quand tu es près de moi. Avec toi, rien ne peut m'arriver de fâcheux.

— C'est vrai ! Tu es ce que j'ai de plus cher au monde... Mais, si nous nous attendrissons, nous ris-quons d'arriver en retard. Le fourgon est parti directe-ment. Il doit être déjà loin. Et je ne veux pas qu'on roule trop vite. On peut rencontrer des plaques de verglas.

Pendant le trajet, ils restèrent silencieux. Recueillis. Leurs pensées convergeaient vers Nicole. Ils trouvèrent la neige vers les Bréviaires, peu avant d'emprunter la petite route qui traverse une partie de la forêt pour arriver à La Hauteville. Le goudron disparaissait, le chemin devenait tout blanc et les sapins se mettaient à ressembler à ceux que l'on voit sur les cartes postales de Noël.

Dans ce cimetière battu par les vents, le caveau ouvert rendait la disparition de Nicole plus tragique dans sa réalité, plus douloureuse au cœur de ses parents, de ses amis, de tous ceux qui l'avaient accom-pagnée jusque-là. Beaucoup de femmes pleuraient.

Le maire de la commune s'avança pour prononcer quelques paroles d'adieu à celle qui, chaque été, venait partager avec sa propre fille les plaisirs champêtres, les promenades en forêt, les bains joyeux dans la piscine et les pique-niques improvisés devant le barbecue.

Avocat brillant et homme d'esprit Jean Longtard maniait le verbe avec aisance mais, se méfiant de son émotivité et profondément attristé de la mort de cet être jeune, il se borna à lire les lignes écrites à cinq heures du matin dans son cabinet.

Relevant son regard par-dessus les lunettes en demi-lune, il se rendit compte que, face à lui, un homme semblait prêt à perdre l'équilibre et respirait très difficilement.

« Il va se trouver mal, pensa-t-il. Le froid sans doute. »

L'homme chancela. Prompt à agir, le maire se précipita pour le retenir.

— Il est cardiaque, expliqua une femme au fort accent slave qui se tenait près du malade et lui tendait une pilule. Je ne voulais pas qu'il vienne. Mais il n'en fait qu'à sa tête. Heureusement, la trinitrine calme les crises. Depuis, son premier infarctus, nous en avons toujours sur nous.

Le maître du Barreau aida le maître de Ballet à s'asseoir sur une pierre tombale et il vit qu'il pleurait.

Le remède n'apporta cependant pas le soulagement attendu. Mme Oustrine continua :

— Il aimait beaucoup Nicole. Comme sa fille... C'est un choc pour lui !

Son mari s'affaissa. Sans perdre une seconde, le maire s'adressa aux deux pompiers auxquels il avait demandé de canaliser les voitures.

— Un brancard ! Vite ! Il faut le transporter d'urgence à l'hôpital. Partez immédiatement. Je téléphonerai au service de réanimation, pour les prévenir de votre arrivée. Pendant le trajet, donnez-lui de l'oxygène.

Quelques minutes plus tard, le fourgon rouge fonçait

vers Rambouillet alors que le fourgon noir reprenait tranquillement la route de Paris.

Apercevant Aurélie qui, avec ses grands-parents et emmitouflée dans un confortable manteau de fourrure, se dirigeait vers la grille du cimetière, Simone Renaud pressa le pas entre les tombes pour les rejoindre.

— Que c'est triste! dit-elle en pleurant. Je ne parviens pas à croire que c'est Nicole que nous laissons ici... Et plus j'y pense, plus je me refuse à admettre le suicide. Il ne me paraît pas plausible.

— Mais, demanda Mme Massillon, l'avez-vous vue déprimée au point d'en arriver à cette extrémité?

— Vous la connaissiez comme moi, madame. C'est vrai, elle a été déchirée à l'idée d'abandonner l'Opéra, son milieu, ses amis. Mais elle l'a fait en toute lucidité. Car elle aimait la vie, et assez pour ne pas se détruire. Non! ce n'est pas possible! Comment aurais-je pu me tromper ainsi sur elle pendant tant d'années?

Joseph Massillon jugea le moment opportun pour intervenir.

— Excusez-moi madame, mais n'est-ce pas le chagrin qui vous fait raisonner ainsi?

— Non monsieur! Assise devant mon piano, je les vois évoluer les petites. A force de les observer, elles finissent par ne plus avoir de secret pour moi. D'ailleurs, elles viennent souvent me parler de leurs problèmes, petits et grands. Et je peux vous assurer que Nicole possédait assez de force de caractère pour surmonter son angoisse de quitter la France!

— Je ne voudrais pas vous paraître brutal, reprit le commissaire, mais alors, d'après vous, que faut-il en penser? Que faut-il en conclure? Si elle ne s'est pas volontairement donné la mort, il a bien fallu que quelqu'un la pousse dans la Seine. Et, dans la Police, on appelle cela un assassinat.

— C'est exactement ce que je veux dire.

— Mais ce que vous avancez est extrêmement grave!

— Je n'ai pas peur...

— Mais il y a aussi la possibilité de l'accident. Y avez-vous songé ? Nicole a pu glisser...

— Impossible ! Elle avait suffisamment de jugeote pour ne pas s'approcher du bord, au risque de tomber. N'oubliez pas qu'elle était une très grande danseuse. Pour elle, l'équilibre était une seconde nature.

— Qui aurait pu lui en vouloir au point de la supprimer ?

Surprise par cette question aussi directe, la pianiste hésita.

— Ne craignez rien, précisa Lucie, qui se voulait rassurante, mon mari est en retraite et non dans l'exercice de ses anciennes fonctions. Vous pouvez lui parler.

— Il est bien regrettable que vous ne soyez plus dans la Police. Vous auriez bien fini par le démasquer, l'assassin maudit.

— Et vous, auriez-vous une idée sur ce criminel ? Sur l'homme qui aurait pu commettre un tel acte...

— Oui, peut-être.

— Pourquoi n'en avez-vous pas touché deux mots à la Police ?

— Parce que vos collègues sont persuadés qu'il s'agit d'un suicide et que je n'ai aucune preuve formelle pour les faire changer d'avis.

Les voitures partaient les unes après les autres. Le cimetière retrouvait sa solitude désolée.

— Vous pensez à un homme, reprit Simone. Mais dans la méchanceté et la haine, il ne faut pas oublier les femmes. Parfois dans ce domaine, elles peuvent aller bien plus loin que vous.

— Vous pensez à quelqu'un, très précisément ?

— Oui.

— Vous pourriez me dire à qui ?

— Oui ! A l'ex-femme d'Eric de Marcignac.

— Qu'est-ce qui vous fait ainsi penser à elle ? demanda Aurélie, interloquée par une telle confidence.

— J'ai été, malgré moi, témoin d'une scène particulièrement violente entre Mme de Marcignac et Nicole.

Il y a six mois de cela. Juste avant les vacances. Et je m'en souviens comme si elle s'était passée hier ! L'ex-femme de M. de Marcignac nourrissait une rancune terrible contre celle qui, pensait-elle, lui avait pris son mari. Elle lui en voulait d'autant plus qu'elle ne pouvait pas avoir d'enfant, ce qui, pour Eric, ajoutait un motif de plus à ses raisons de se séparer d'elle...

« Ce jour-là, Nicole avait passé la matinée avec Vladimir à chercher une chorégraphie. Vers onze heures trente, elle trouva Mme de Marcignac plantée devant la porte de sa loge et qui lui dit, sans autre préambule, sur un ton agressif :

« " Vous me faites entrer, ou bien je déballe mon sac dans le couloir ? "

« Nicole voulut éviter le scandale. Elle l'invita à la suivre.

« De mon vestiaire, j'ai pu entendre toute la conversation. Et j'avoue que je suis restée aussi par crainte que Mme de Marcignac, particulièrement excitée, n'en vienne aux mains. A peine dans la loge, elle traita Nicole de tous les noms. Allant même jusqu'à celui de... prostituée de luxe ! Vous voyez ce que je veux dire...

« Devant cette attitude insultante, Nicole resta très calme. Elle précisa seulement qu'Eric devait l'épouser dans quelques semaines, qu'ils voulaient fonder un véritable foyer et avoir un enfant. Cette dernière affirmation a eu pour effet de décupler la colère et le ressentiment de la femme délaissée qui n'hésite pas à proférer des menaces :

« " Mon mari, vous ne l'aurez pas ! Je ne reculerai devant rien pour vous empêcher d'avoir un enfant de lui ! Vous n'en êtes pas digne ! Croyez-moi, je trouverai des moyens radicaux pour contrecarrer et faire échouer vos projets de maternité. » On peut dire qu'elle a réussi !

— Nicole n'en a-t-elle pas parlé à son fiancé ? demanda Aurélie. Il aurait bien trouvé le moyen de faire pression sur son ex-femme. Ce n'est pas un faible...

— Nicole m'a confié un jour qu'Eric était, en quelque sorte, prisonnier de son épouse. Elle le tenait. Pourquoi ? Je n'en ai jamais rien su. Et je pense que Nicole non plus. Sans doute des affaires plus ou moins avouables. C'est peut-être la raison pour laquelle il n'avait pas totalement rompu avec elle. Ils se revoyaient quelques fois, et même sont partis ensemble en voyage deux ou trois fois.

— De là à commettre un crime !

— Elle en est très capable. Et Eric ne peut rien dire. S'il la dénonçait, il ne serait peut-être pas loin de la rejoindre en prison. Et puis, et puis, je vais vous livrer le fond de ma pensée. Je trouve vraiment très curieux qu'il n'ait pas réussi à se libérer pour venir assister au dernier ballet de sa fiancée à l'Opéra. Qui nous prouve qu'ils n'étaient pas de mèche tous les deux ?

Une rafale de vent balaya la neige qui s'agglutinait sur les branches basses des sapins.

— Rentrons avant que la route de la forêt ne devienne impraticable, suggéra le commissaire, en ajoutant :

— Peut-être aurons-nous l'occasion de reparler de tout cela...

— Je compte sur votre discrétion, n'est-ce pas ?

— Soyez-en assurée. Comme vous l'a dit ma femme, je suis à la retraite. Vous ne recevrez pas de convocation au Quai des Orfèvres.

— Je préfère cela. Dans ce métier, tout se sait.

Simone Renaud démarra au volant de sa petite R 5 en direction de Gambais pour rentrer par la Nationale 12 alors que Massillon se dirigea vers Le Perray-en-Yvelines pour emprunter la 10.

Joseph Massillon réfléchissait à côté de sa femme qui conduisait avec prudence pour éviter le dérapage.

— Curieux tout de même ! s'étonna-t-il en pensant à la danseuse étoile qui, sur scène, évoquait la pureté poussée jusqu'au sublime et qui, dans la vie, n'était peut-être qu'une femme comme beaucoup d'autres. Une femme, tout simplement, qui pouvait susciter des passions mais aussi une haine farouche. Et qui, pour son propre bonheur, n'avait pas hésité peut-être à briser celui d'une autre. Un instant, il fut tenté de faire part de cette réflexion à Aurélie. Il s'abstint pour ne pas ternir l'image qu'elle garderait de son amie.

Intellectuellement, Massillon ne savait plus très bien quelle attitude adopter. Celle qui consistait à considérer, purement et simplement comme tout le monde qu'il s'agissait d'un suicide ou d'un accident. Autrement dit, abandonner ses doutes dans le cimetière. Ou partir en guerre contre l'hypothétique assassin qui, pour l'heure et dans l'ombre, devait se réjouir d'avoir réussi le crime parfait. Et si crime il y avait eu, il paraissait effectivement parfait. L'autopsie n'avait rien révélé de suspect. Aucune plainte n'avait été déposée. L'enquête préliminaire de la Police s'était terminée sans qu'aucun élément n'ait pu être retenu par le substitut du procureur de la République. La thèse du suicide était entérinée par la famille. Et, pour couronner le tout, le Quai des Orfèvres considérait l'affaire comme classée. Avec la pénurie des effectifs, les fonctionnaires de la Police Judiciaire avaient d'autres choses à faire que de perdre leur temps dans des hypothèses saugrenues.

A la sortie du Perray, avant de déboucher sur la Nationale, le commissaire avisa, en haut de la crête et sur le côté gauche, une auberge à l'aspect sympathique. Il proposa à sa femme qui tenait le volant — son mari aimant de moins en moins conduire — de s'y arrêter pour prendre une boisson chaude. Mais il voulait aussi vérifier si la voiture qu'il voyait dans le rétroviseur et qui réglait sa vitesse sur la sienne, les suivait ou si elle gardait une bonne distance uniquement par prudence. « Si quelqu'un voulait nous prendre en filature, il n'agirait pas autrement » pensa-t-il, en constatant que l'autre véhicule réduisait encore son allure en mettant son clignotant.

Lucie freina et vint se garer, tout près de l'auberge.

Celle-ci était effectivement accueillante. Un bon feu de bois flambait dans la grande cheminée. Une horloge ancienne rythmait le temps alors que, sous des abat-jour de cretonne fleurie, des lampes diffusaient une douce lumière sur chacune des tables. Visiblement, le propriétaire avait joué la carte du relais de campagne à une centaine de kilomètres de Paris. Le dépaysement à une heure de route de la Porte de Saint-Cloud.

— Que penses-tu des confidences de Simone ? demanda Aurélie quand les consommations furent devant eux.

— Pas grand-chose, répondit son grand-père. Toute ma vie, j'ai eu pour règle d'or de toujours écouter, mais de ne jamais prendre pour argent comptant les supposées révélations. Quand le sang a coulé, les passions sont exacerbées et les gens ont souvent une fâcheuse tendance à confondre leurs rancunes personnelles avec les présomptions. La délation, la calomnie, sont au bord des lèvres. Elles ne demandent qu'à s'exprimer.

— Tu ne peux tout de même pas accuser Simone de sentiments aussi bas !

— Bien sûr que non ! D'autant plus qu'elle paraît sincère. Mais le chagrin égare peut-être son jugement. Et qui prouve qu'elle ne se trompe pas dans l'interprétation des faits ? A mon avis, cette affaire ne fait que commencer. Tu entendras bien d'autres versions sur la mort de ton amie. »

La porte de l'auberge s'ouvrit. Eric de Marcignac, sanglé dans un imperméable style officier britannique, le visage très pâle, entra et, après une seconde d'hésitation et de surprise simulée, se dirigea vers la table occupée par le commissaire et sa famille.

— Vous permettez ? demanda-t-il d'une voix quelque peu altérée.

— Je vous en prie. J'allais vous demander de vous joindre à nous.

Au bout de quelques secondes, Eric rompit le silence.

— Nous avons souvent dîné ici avec Nicole... Le dimanche soir quand nous revenions de la campagne. On laissait tranquillement passer le flot des retours. Maintenant tout est fini !

— Pauvre Nicole ! J'étais son amie, vous le savez. Je ne peux pas croire qu'elle s'est donné la mort volontairement.

Eric saisit la perche ainsi tendue.

— Je partage tout à fait cette opinion. Je la connaissais très bien. Elle était peut-être dépressive, mais pas au point de se supprimer. Je peux vous assurer que Nicole était souvent enthousiaste à l'idée de se lancer à la conquête de l'Amérique. Elle voulait créer un style qui allierait le pur classique à des audaces modernes. Dans ces conditions-là, comment voulez-vous que je puisse accepter l'hypothèse d'un suicide ? Dire qu'elle s'est supprimée pour ne pas avoir à choisir entre l'Opéra et sa vie privée, est une absurdité. Avec Nicole, ensemble nous avions réglé la situation. Oui, bien sûr, par moments, elle se sentait déchirée d'abandonner l'Opéra. On ne tourne pas une telle page de sa vie sans souffrances. Mais sa décision a été prise après mûre réflexion. D'une façon très lucide. Les perspectives d'avenir primaient et de beaucoup sur d'éventuels regrets.

Eric alluma une gitane et, la tête basse, joua avec son briquet. Quand il releva le front ses yeux étaient embués.

— Je me suis arrêté ici, dit-il, pour vous parler. Mais sans témoin. Ce qui a été impossible au cimetière. Je vous ai suivis depuis la Hauteville. Je vous ai vus en conversation avec Simone.

— Oui, en effet.

— C'est justement à son sujet que je voudrais vous entretenir.

— Je dois vous prévenir que je ne peux plus rien pour vous. Je ne suis plus en activité.

— Je le sais. Mais pour des raisons qui me sont

propres, je ne tiens justement pas à m'expliquer avec un fonctionnaire de la Police Judiciaire.

— Ah !

Eric de Marcignac continua, sans paraître remarquer l'expression étonnée du commissaire.

— Simone ne vous a certainement pas confié qu'elle devait beaucoup d'argent à Nicole. Bien sûr, il n'existe pas de reconnaissance de dettes. Les emprunts se sont toujours faits de la main à la main. Pour que vous compreniez mes craintes, il faut que je vous explique. La fille de Simone se drogue à tout va. Elle a commencé, comme beaucoup d'autres, par des cigarettes de marijuana, par des joints comme « ils » disent, mais elle en est arrivée aux drogues dures, morphine, cocaïne, héroïne... Elle a subi deux cures de désintoxication. Mais, à chaque fois, elle a replongé. Pour se procurer de l'argent, elle n'a hésité devant rien. Et, pour lui éviter la prostitution, sa mère a vidé son compte en banque. Puis a vendu ses biens. Et quand elle n'a plus eu de ressources, elle s'est mise à emprunter. D'abord des petites sommes, puis plus importantes. Comme elle ne pouvait plus faire face aux échéances, la ronde infernale des huissiers a commencé. Pour lui éviter de graves ennuis, Nicole dont vous connaissez la générosité et l'attachement à cette femme qui la suit depuis ses premiers pas de danse, a apuré le passif et fait le nécessaire pour la troisième hospitalisation...

Eric de Marcignac commanda un deuxième café. Massillon se laissa tenter, lui aussi. Et il écouta la suite du récit avec une attention de plus en plus soutenue.

— ... C'est à ce moment-là que je suis intervenu. Je lui ai très vivement conseillé, et ensuite purement et simplement interdit de continuer à agir ainsi. Je lui ai démontré qu'elle ne rendait service à personne. Et surtout pas à la petite qui, par sa faute, s'enfonçait encore plus dans la drogue. Je crois d'ailleurs que c'est cet argument qui a fini par la convaincre. Mais toutes les choses n'en sont pas restées là. Carole Renaud s'est confiée à son petit ami qui est aussi drogué qu'elle.

C'est d'ailleurs par amour pour lui qu'elle en est arrivée là ! Un jour de manque, cette frappe est venue à l'Opéra pour l'insulter. Heureusement que le gardien se trouvait, à ce moment-là, dans l'escalier, et a pu le maîtriser. Sinon, il aurait tout cassé dans la loge. Ensuite, les menaces sont venues par téléphone. Il l'appelait presque tous les soirs pour la prévenir qu'il emploierait le vitriol si elle continuait à couper les vivres.

Nicole a prévenu la Police, le type en question a été interpellé. Mais il a été relâché deux mois plus tard... Ce qui ne l'empêcha pas de dire qu'il se vengerait.

— Vous ne pouviez pas intervenir ?

— Nicole n'était pas une personnalité politique. Donc, impossible d'attacher un gardien de la Paix à son service pour assurer sa protection. J'avais pensé à un garde du corps, mais elle a refusé car cela revenait très cher. Comme elle devait partir bientôt en Amérique, nous pensions que ce fou perdrait ainsi la possibilité de lui nuire et disparaîtrait de son horizon. Je crains que cet individu ne nous ait pris de vitesse. Et à ce sujet, on ne peut rien tirer de Simone, car rien ne prouve que sa fille, sous l'empire de la drogue, n'ait pas été complice. Vous comprenez ?

Massillon était troublé par la clarté de l'exposé. Et de sa vraisemblance. Il ne le considérait, bien sûr, que comme une hypothèse. Mais aussi comme une éventualité plus que sérieuse et qui méritait d'être approfondie. Pourtant il ne laissa rien paraître.

Eric de Marcignac fut surpris et un peu déçu de ne pas trouver chez le commissaire l'écho qu'il attendait. Pour tout commentaire, Massillon lui demanda :

— Vous avez dû avoir un empêchement très sérieux pour ne pas pouvoir assister au dernier gala de votre fiancée ?

« Quelle perfidie », pensa Eric, qui crut entendre : « Où étiez-vous à trois heures du matin, la nuit du crime ? »

Il vida son verre, ne répondit pas et s'excusa en regardant sa montre :

— J'ai un rendez-vous important. Je suis obligé de vous quitter.

En se tournant vers Aurélie, il ajouta :

— Merci de l'avoir accompagnée jusqu'au bout. Je sais qu'elle vous aimait beaucoup.

— Nous aurons peut-être l'occasion de nous revoir, Monsieur, déclara Joseph Massillon. Je vous renouvelle toutes mes condoléances et vous souhaite bon courage. Partez-vous bientôt ?

— Le plus vite je quitterai la France, le mieux ce sera. Mais je ne pourrai jamais oublier Nicole !

Et il prit congé.

Il neigeait toujours. La puissante voiture de sport s'engagea en vrombissant, sur la Nationale 10, en direction de l'autoroute.


# CHAPITRE III


Joseph Massillon redoublait de prudence en maugréant contre les chauffeurs inconscients qui, ne respectant pas la limitation de vitesse, sur l'autoroute, le doublaient en soulevant derrière eux des tourbillons de neige fondue et de boue.

Ils passèrent à Rocquencourt, laissant la sortie de Versailles sur la droite. Juste avant Garches, à la hauteur du pont qui enjambe l'autoroute, le pare-brise de la voiture éclata. Massillon sursauta, s'accrochant au volant en essayant de ne pas perdre le contrôle de la voiture. Il ne voyait rien ou pas grand-chose. Se souvenant qu'heureusement la route était libre devant lui, il freina doucement pour ne pas être déporté et risquer de provoquer un carambolage.

— Ça devait arriver avec ce sablage ! grogna-t-il en se tournant vers sa femme pour la rassurer. Mais après tout, un pare-brise ça se remplace. Je laisserai la voiture dans un garage de Garches. Et nous prendrons un taxi. Ce n'est pas une affaire.

Lucie renversa la tête en arrière et, se tenant une épaule, elle grimaça de douleur.

— Joseph ! J'ai mal ! Vite... ça me brûle.

— Mais, qu'as-tu ? Que se passe-t-il ? Tu es blessée ?

— Oui.

— Par quoi ? Un morceau de verre ?

— Je ne sais pas.

Très doucement, Massillon écarta le manteau. Un peu au-dessus du sein gauche, il y avait un petit trou. Et le sang coulait. Le commissaire avait vu suffisamment de blessures par balle dans sa carrière pour identifier immédiatement la nature de celle-ci.

Le visage de Lucie se décomposait. Il devenait d'un blanc cireux avec des cernes mauves sous les yeux.

Le commissaire fit rapidement le tour de la situation. Elle n'était pas brillante. Bloqué sur l'autoroute avec un pare-brise en miettes. Trouver du secours allait lui faire perdre de précieuses minutes. Arrêter la circulation tenait de l'exploit. Il prit alors une tout autre décision. La seule intelligente d'ailleurs. Sans perdre sa légendaire maîtrise de soi, il enleva son manteau qu'il posa délicatement sur sa femme pour la protéger des éclats et du froid, et, à coups de coude, il dégagea le pare-brise, côté conducteur. Quand il eut une visibilité suffisante, il relança le moteur et, phares allumés, en maintenant enfoncé l'avertisseur sonore, il avala les quelques kilomètres qui le séparaient de la bretelle de sortie pour Saint-Cloud.

Il hésita un instant entre l'hôpital de cette commune et celui de Garches. Il opta pour ce dernier, se disant que la route serait plus dégagée. Tout en adoptant — malgré son âge — une conduite proche de celle d'un pilote de rallye, il parlait à sa femme pour la rassurer, pendant qu'Aurélie, penchée en avant, lui essuyait le front.

— Ce n'est rien Lucie ! Une éraflure. Nous arrivons à l'hôpital. Ils vont voir ce que c'est. Ils te feront un pansement.

— Dépêche-toi ! Ça me fait atrocement souffrir...

Arrivé à la porte de l'hôpital Poincaré, Massillon retrouva les réflexes d'antan.

— Police ! Prévenez le service des urgences. Il s'agit d'une blessée gravement atteinte.

Habitué aux arrivées en catastrophe, le gardien indiqua :

— Deuxième allée à droite. Je les appelle.

En entendant « une blessée gravement atteinte », Lucie perdit connaissance.

Quand Massillon stoppa la voiture sous la verrière, il vit deux infirmiers avec un brancard roulant et qui l'attendaient.

— Faites très doucement. Elle est blessée à la poitrine. Très certainement par balle.

Sans poser de questions, les brancardiers sortirent Mme Massillon et la conduisirent directement dans un long couloir au bout duquel on pouvait lire : BLOC OPERATOIRE — ENTREE INTERDITE.

Malgré le vent qui s'était engouffré dans la voiture, Joseph Massillon s'aperçut qu'il était en sueur. Il ressentit une immense fatigue, quand une infirmière s'approcha de lui pour lui demander des explications.

— Le gardien a dit que vous étiez de la Police. Cela va faciliter les choses pour les renseignements d'ordre administratif. Qui amenez-vous ?

— Ma femme.

Interloquée, l'infirmière resta le stylo en l'air et se mit à dévisager l'homme qui se trouvait devant elle. Pressentant un drame, familial peut-être, elle prit un ton doux et compréhensif.

— Pouvez-vous nous dire ce qui s'est passé ? Cela aidera le chirurgien.

— J'en suis incapable. Nous roulions sur l'autoroute. On a tiré sur elle. C'est tout ce que je peux vous dire.

— Alors, vous n'êtes pas de la Police ?

Massillon sortit une carte de son portefeuille.

— Je suis commissaire, mais en retraite. Appelez le commissariat. Qu'il m'envoie un inspecteur pour enregistrer ma déposition. Mais comprenez mon angoisse, madame. Avant toute chose, allez voir le chirurgien. Donnez-moi vite des nouvelles. Et surtout dites-moi la vérité.

— Asseyez-vous commissaire. J'y vais immédiatement.

L'attente lui parut interminable. Il ne parvenait pas à mettre une idée à la suite de l'autre.

Au bout d'une dizaine de minutes, l'infirmière revint, accompagnée d'un jeune interne. Le commissaire chercha à lire sur son visage. Son cœur battait follement, à tel point qu'il crut se trouver mal à son tour. Il prit une très large inspiration pour supporter ce qu'on allait lui apprendre. Une glace lui renvoya son visage. Celle d'un homme soudain vieilli, dont les rides s'étaient encore creusées.

— La balle, d'un petit calibre, est entrée à la hauteur de l'omoplate et s'est logée sous la clavicule...

— La vie de ma femme est-elle en danger ?

— Non ! Rassurez-vous. Il n'y a pas de dégâts. Actuellement elle est sous anesthésie générale. Le chirurgien va extraire la balle. Dans quelques jours, votre femme pourra rentrer chez elle.

— Combien de temps durera l'intervention ?

— Une petite demi-heure. Ensuite vous pourrez la voir. Elle sera installée dans la chambre 322 au troisième étage.

Massillon se sentit rassuré et son cœur s'apaisa.

Le commissaire de Garches, qui connaissait sa célèbre réputation, tint à se déplacer par courtoisie et pour l'assurer de son aide.

Massillon accepta la gauloise que lui tendit le policier en exercice. Il avala goulûment la fumée, comme si le tabac dégageait de l'oxygène pur, et raconta par le détail ce qui s'était passé. Au bout d'un moment, il posa la main sur l'épaule de son interlocuteur. Le regardant droit dans les yeux, il déclara en martelant ses mots :

— Je viens de tout comprendre. Mais il est inutile de stipuler dans votre rapport ce que je vais vous dire. J'ai votre parole ?

— Je vous la donne.

— Ce n'est pas ma femme qui était visée, mais moi. Et moi seul ! A l'aller, j'ai occupé le siège passager. En quittant le cimetière également. Ce n'est qu'après la halte de l'auberge que j'ai pris le volant. La personne qui a voulu me tuer ignorait que nous avions changé de place. Et, croyez-moi, il n'y a pas d'autre explication.

Le jeune commissaire, certain d'avoir l'affaire du siècle, questionna :

— Et qui soupçonnez-vous ? On va s'en occuper.

— Je vous en prie ! Restez en dehors de tout cela. Vous m'avez donné votre parole et promis votre discrétion. Ne vous inquiétez pas. On a failli tuer ma femme. Je vais m'en occuper moi-même.

Pendant l'intervention, le commissaire Massillon fut bien incapable d'entreprendre la moindre démarche. Allumant cigarette sur cigarette, il arpentait le couloir, guettant la porte derrière laquelle se jouait le destin de sa femme. L'opération devait durer trois quarts d'heure. Ce temps écoulé, il se mit à regarder sa montre toutes les trente secondes, redoutant que le retard soit dû à des complications ou à un choc opératoire toujours possible. Un vieux proverbe lui revint à l'esprit. « On mesure la force d'un homme, non pas à sa résistance devant le danger, mais à celle dont il fait preuve devant l'incertitude. » Cette maxime, dont on attribue, à tort ou à raison, la paternité à Churchill, l'aida à retrouver son calme. Enfin, au bout d'un quart d'heure, les doubles battants s'écartèrent pour laisser passer le chariot. Massillon fut frappé par la pâleur extrême du visage de Lucie. Mais Dieu soit loué ! Elle était vivante. Le reste ne serait qu'une question de temps.

Le chirurgien, toujours en blouse verte, le masque rabattu sur la poitrine, se dirigea vers lui.

— Nous avons eu beaucoup de chance, expliqua-t-il. Le pire a été évité. Mais de justesse ! A quelques centimètres, trois pour être précis, le cœur aurait été atteint. Par miracle, la clavicule a dévié le projectile de sa trajectoire.

— Elle est hors de danger, docteur ?

— Absolument. Nous la garderons une dizaine de jours avec nous. Ensuite, il lui faudra du repos. Au grand air, de préférence. En petite altitude, pour la cicatrisation du poumon. Mais je peux vous garantir qu'elle ne gardera aucune séquelle. Allez dans sa chambre. Elle va se réveiller d'un moment à l'autre.

Massillon se sentait tellement soulagé, il éprouvait une telle reconnaissance pour le chirurgien qu'il eut envie de lui donner l'accolade. Dans un deuxième temps, il décida de lui faire adresser un carton de champagne.

— Docteur, j'ai une petite faveur à vous demander.

— Je vous en prie.

— Pourriez-vous me permettre d'examiner la balle que vous avez extraite ?

— Je dois la remettre à la Police.

— Je n'ai pas l'intention de la conserver. Simplement de jeter un coup d'œil.

— Je comprends. Avec ce projectile, vous déterminerez l'arme, et avec l'arme, le style d'individu qui s'en est servi. Vous établissez des diagnostics !

— On ne peut rien vous cacher.

— Venez à la fin de ma visite.

L'ex-commissaire retrouva le chirurgien dans son cabinet. Le morceau de plomb avait été déposé dans un haricot. Massillon l'observa longuement, puis il déclara :

— Calibre 7.65 ! Curieux ! Les tueurs professionnels utilisent les 9 mm, voire maintenant les 357 Magnum.

Avec ce genre de munitions, ma femme n'aurait eu aucune chance de s'en tirer. Les loubards ou les fous emploient le 22, qui est beaucoup plus facile à se procurer. Les femmes se servent du 6,35, pistolet de sac à main. Le 7,65, c'est le calibre intermédiaire. Je pensais qu'il s'agissait d'une balle de 7,62 de la fameuse USM I, la carabine américaine et qui servait, d'ailleurs toujours au Viêt-nam. Mais elle est trop courte. Non... Je suis persuadé que nous avons là une balle de revolver. Mais, première déduction logique : le type qui a tiré n'est pas un amateur. Faire feu sur une voiture qui roulait à une soixantaine de kilomètres à l'heure, à une vingtaine de mètres de distance, et atteindre son objectif, n'est pas à la portée du premier venu. J'exclus donc, d'ores et déjà, l'acte gratuit.

Le médecin écoutait l'exposé. Quand il fut terminé, il déclara :

— Merci, commissaire, pour cette brillante leçon de logistique et cette remarquable analyse de la situation. Dans mon domaine, il m'arrive de mener aussi des investigations. Vous faites parler les objets. Moi, les cellules. Si vous parvenez à élucider ce mystère, faites-le-moi savoir.

— Je ne manquerai pas, professeur, de venir moi-même vous livrer la clef de cette énigme. Vous avez sauvé ma femme. Vous avez bien le droit de savoir ce qui s'est passé.

Les traits tirés, le commissaire accusait une grande lassitude. Sa barbe blanche et drue avait poussé. Il se décida à rentrer à l'hôtel, se disant qu'il ne pourrait plus apprendre grand-chose à l'hôpital. Arrivé à l'Elysées-Marignan, il décrocha le téléphone pour appeler l'hôpital.

— Tu me promets que tout va bien, demanda-t-il doucement à Aurélie.

— Mais oui, repose-toi. Pour le moment elle dort. Tu viendras la voir demain.

— Pas question, je reviendrai ce soir.

— Nous en reparlerons. A tout à l'heure.

Joseph Massillon passa dans la salle de bains. Il laissa toute sa fatigue dans l'eau de la baignoire et, quand il fut rasé, il se sentit plus frais et prêt à passer à l'attaque.

S'installant au bureau, il prit dans le sous-main quelques feuilles du luxueux papier à lettre à l'en-tête de l'hôtel et commença à relater chronologiquement et méthodiquement tous les faits qui, depuis vingt-quatre heures, bouleversaient le cours de son existence.

Quand il eut noirci trois ou quatre pages l'idée que la tentative de meurtre sur sa femme et le décès de Nicole Fontange pouvaient avoir une relation, s'imposa à son esprit. Il décida donc de creuser la vie de l'Etoile disparue. Pour cela, il établit minutieusement une liste de personnes à rencontrer. Les parents, les amis, les autres danseuses du corps de ballet, le fiancé.

« Quel dommage que Vladimir Oustrine ait été hospitalisé. Il doit savoir un certain nombre de choses. »

Se souvenant qu'il avait été transporté à l'hôpital de Rambouillet, il décida de prendre des nouvelles du chorégraphe. Le bureau des admissions lui apprit qu'il avait pu regagner son domicile le soir même puisqu'il n'y avait pas de fibrillations.

Faisant état de ses anciennes fonctions, il obtint sans difficultés de la secrétaire l'adresse personnelle de celui pour lequel la dernière heure n'avait pas sonné.

En chemin, Joseph s'interrogea sur les raisons qu'il allait donner de sa visite.

« Je ne peux tout de même pas importuner ce brave homme avec des questions indiscrètes, d'autant plus que je ne suis plus en exercice. Bah ! Je lui dirai tout simplement qu'au nom d'Aurélie, je suis venu prendre de ses nouvelles. »

# CHAPITRE IV

Joseph Massillon gara sa voiture place Saint-Georges. En passant devant le théâtre, il se promit, quand Lucie serait rétablie, de venir avec elle au spectacle.

L'immeuble du numéro 50, datant du début du siècle, paraissait, d'après la façade vitrée, composé d'ateliers d'artistes. La peinture de l'entrée aurait bien eu besoin d'être refaite. Le tapis laissait apercevoir sa trame de corde.

Le commissaire lut sur la vieille boîte aux lettres que le maître de ballet habitait au troisième étage. Sur le palier du premier, il croisa un colosse à la barbe rousse, hirsute. « Un peintre, sans doute... » Au second, les échos sonores d'une guitare électrique jouaient les passe-murailles.

« La Bohème... » se dit-il. « La Bohème... Nous ne sommes pas loin de la Butte... »

Au fond du couloir du dernier étage, le policier découvrit la porte de Vladimir Oustrine.

« Pauvre homme ! pensa-t-il. Ce n'est pas l'endroit idéal pour se reposer ! »

La sonnette ne fonctionnait pas. Il frappa. Et les trois petits coups discrets déclenchèrent des aboiements féroces de ce qui devait être un chien de toute petite race.

— Douchinka ! Tais-toi !

La porte s'ouvrit. Mme Oustrine, portant un châle sur les épaules et dans les bras un affreux chihuahua, apparut, un ruban rose dans les cheveux.

Massillon la reconnut immédiatement.

— Pardon de vous déranger, madame. Je suis le commissaire Massillon, le grand-père d'Aurélie, une ancienne élève de votre mari et... une excellente amie de la pauvre Nicole. Nous étions à l'enterrement hier. Je me suis permis de venir prendre des nouvelles de M. Oustrine.

— C'est très aimable à vous. Entrez...

Massillon pénétra dans le grand atelier où des baies vitrées remplaçaient une bonne partie du plafond. Le mobilier était très hétéroclite et les murs tapissés de photos sous cadres où l'on pouvait lire une bonne partie de l'histoire de l'Opéra. Du moins des plus belles pages, avec entre autres Claude Bessy, Ludmilla Tchérina, Janine Charrat. Sur un guéridon, en bonne place, à côté d'icônes, la photo de Nicole Fontange. La flamme d'une petite bougie allumait les ombres et paraissait donner du mouvement à la pose.

Vladimir était assis à un bureau près de la fenêtre. Il disparaissait à moitié derrière des piles de papiers et de journaux. Il regarda le visiteur au-dessus de ses lunettes en demi-lune.

— C'est un ami de Nicole, annonça sa femme.

Immédiatement, les yeux gris-bleu se mouillèrent. Il se leva, la main tendue. Il tremblait un peu. Son visage reflétait la surprise.

Mme Oustrine avança un siège et, d'autorité, servit un petit verre de vodka poivrée.

— Comment vous sentez-vous aujourd'hui ? demanda le commissaire.

— Bien fatigué. Mais je n'ai pas voulu rester à l'hôpital. Je suis encore consterné par ce drame. Je n'aurais jamais pu supposer que Nicole était si gravement dépressive. Ce qui m'étonne, c'est que je l'ai connue bien plus bas. Pourquoi ne m'a-t-elle rien dit ? Vous êtes de la Police, ai-je entendu ?

— Plus ou moins. J'étais...

— Et vous vous posez un certain nombre de questions sur la mort de cette enfant ?

— Exactement. Je voulais votre avis.

Vladimir soupira. D'une voix fortement marquée par son accent slave, il répondit :

— C'est un drame épouvantable. Pour elle. Pour ses parents. Pour la Danse. Et pour moi ! Je la suivais depuis son entrée à l'école de l'Opéra. Elle était comme ma fille !

— Croyez-vous vraiment qu'elle se soit suicidée ?

— Je suis bien incapable de croire quoi que ce soit. Mais ce n'est pas impossible. Comment savoir ce qui s'est passé dans sa tête quand elle est rentrée chez elle ? Elle n'a pas voulu suivre ses amis dans une boîte à la mode. Elle voulait être seule... Pour se donner la mort peut-être... mais je n'en suis pas convaincu...

— Ma petite-fille considère l'hypothèse du suicide comme absurde.

— Elle n'a peut-être pas tort. Mais, Grands Dieux, pourquoi l'aurait-on tuée ? Sa vie était aussi limpide que de l'eau de roche. Elle ne trempait dans aucune affaire louche.

— C'était une femme. Elle avait bien une vie sentimentale ?

Le regard de Vladimir plana sur les boîtes à musique et les petits automates représentant tous des danseuses, éparpillés dans la pièce.

— Mon expérience me permet de penser qu'au fond, leur véritable grand amour demeure l'Art. La Danse. Les hommes sont des passades d'un moment.

— Mes collègues du Quai des Orfèvres ont conclu à un suicide. Mais je n'aurais pas la conscience tranquille si je ne vérifiais pas un certain nombre d'éléments.

— Et si crime il y a eu, selon vous, quel serait le mobile ?

— Je n'en sais rien. Mais j'avoue que je tiendrai compte de votre jugement.

— Vous me demandez quelque chose de très délicat. Je vais essayer de vous répondre le plus honnêtement possible. Je crois qu'elle s'est suicidée. Mais s'il s'agit d'un crime, comme vous je pense qu'il est passionnel.

Massillon voulut en savoir davantage.

— Excluons, si vous le voulez bien, la première option. Penchons-nous sur la deuxième. Nous sommes entre nous. Je vous répète que ma visite n'a rien d'officiel, et qu'elle restera, évidemment, confidentielle. Qui a pu pousser Nicole dans la Seine ?

— Si je le savais, je ne le livrerais pas à la justice, car la peine de mort est abolie, mais je lui fendrais le crâne avec ma canne.

— Ne t'énerve pas, Vladimir, c'est mauvais pour ton cœur.

Sonia remplit à nouveau les petits verres du breuvage qui chauffait le fond de l'estomac.

— Excusez-moi de poser une question indiscrète et sans doute indélicate. Nicole n'était plus une toute jeune fille. Avant de rencontrer Eric de Marcignac, elle a peut-être eu d'autres liaisons...

— Les danseuses sont très sollicitées. Elles soulèvent souvent des passions. Des passions qui tombent quand les soupirant s'aperçoivent que, dans la vie, elles ne sont pas le Cygne, ni l'Oiseau Bleu, mais des femmes capricieuses, autoritaires, égocentriques et qu'elles ne peuvent pas donner grand-chose. Elles ont tout offert à la Danse et au public.

— Vous avez connu ses... soupirants ?

— Elle ne me tenait pas au courant de toutes ses aventures amoureuses.

Sonia intervint :

— Elle a eu une liaison plutôt orageuse avec ce violoniste de l'Opéra...

— Oui, c'est la dernière en date avant son coup de foudre pour le diplomate. Elle a duré peut-être six mois. Elle a laissé tomber ce Yougoslave pour Eric. La rupture a d'ailleurs été pénible. Vérovich était très amoureux. Il lui a fait des scènes terribles. Mais je ne voudrais surtout pas l'accuser.

— Je vous comprends.

Massillon se rendit compte que l'entretien commençait à fatiguer le maître de ballet. Il préféra prendre congé.

Vladimir le raccompagna jusque sur le palier.

Il reprit ensuite ses tournevis et continua son travail

de précision sur une boîte à musique de sa fabrication. La création de figurines auxquelles il donnait la vie lui permettait d'oublier ses soucis et, pour l'heure, son chagrin.

En route, lorsqu'il arriva à la Porte de Saint-Cloud, Joseph se demanda par quel moyen il pourrait obtenir des renseignements sur ce Yougoslave. A l'Opéra ? Il ne fallait pas y penser. Il ne connaissait personne dans ce temple de la danse.

Il eut alors l'idée de rencontrer à nouveau Eric de Marcignac, jugeant que le fiancé de Nicole devait, sans aucun doute, connaître l'existence de son prédécesseur dans le cœur de la danseuse.

Il tourna autour des fontaines pour arrêter sa voiture devant le café des « Trois Obus ». Ayant commandé un thé, il descendit au sous-sol pour téléphoner. Il composa un numéro qu'il connaissait aussi bien que le sien propre. Celui du Quai des Orfèvres. Quand il eut son filleul en ligne, il lui demanda sous un prétexte futile — pour ne pas dévoiler le fond de sa pensée — l'adresse du diplomate. Philippe Dyriat ne fit, bien sûr, aucune difficulté pour donner l'information à son parrain à qui il devait bien des choses, comme son orientation professionnelle et ses brillants débuts à la Police Judiciaire.

— 26, rue de Rome.

L'ancien commissaire nota l'adresse sur son petit agenda. Puis, après avoir avalé son thé et fumé une Gitane, il remonta dans sa voiture, bien décidé à avancer dans ce qu'il pouvait désormais appeler une enquête. Une de plus.

Il trouva une place de stationnement au début de la rue de Rome, et termina son chemin à pied.

« J'ai une chance sur deux qu'il soit chez lui », se dit-il en prenant l'ascenseur jusqu'au quatrième. Il fallait la tenter.

C'est le diplomate lui-même qui vint ouvrir. Ses yeux exprimèrent la surprise devant le commissaire.

L'entrée était encombrée de valises. Des bagages

dont la qualité indiquait que leur propriétaire devait être un grand voyageur.

— Comment allez-vous depuis hier ? demanda Joseph Massillon.

— Merci. Mais je ne m'attendais pas à vous revoir de sitôt. Que puis-je pour vous ?

— Je ne voudrais pas vous déranger. Pourtant j'aimerais bien bavarder avec vous pendant quelques instants.

— Puis-je vous demander comment vous avez eu mon adresse ?

— J'ai fait toute ma carrière à la Police Judiciaire. J'ai gardé quelques contacts Quai des Orfèvres.

— Je vois. Allons dans mon bureau. Ne faites pas attention au désordre. Avec les circonstances, j'ai précipité la date de mon départ. Je veux mettre, le plus rapidement possible, de la distance entre tout ce qui peut me rappeler ces heures douloureuses et moi-même.

Quand il fut installé dans un fauteuil, avec un verre à la main, Massillon attaqua sans préambule.

— Monsieur de Marcignac, je crois de moins en moins au suicide de votre fiancée.

— C'est un fait nouveau qui vous renforce dans cette idée ?

— Oui.

— Puis-je le connaître ? Puisque votre démarche n'est pas officielle, le secret de l'instruction n'existe pas.

— Vous avez tout à fait raison. On a essayé de tuer ma femme. Elle est assez grièvement blessée, bien que ses jours, Dieu soit loué, ne soient pas en danger.

— Comment cela ?

Massillon raconta ce qui s'était passé sur l'autoroute. Marcignac le laissa parler. Puis il reprit la parole :

— Commissaire, je crois que vous devriez renoncer à vos investigations et continuer de passer votre retraite paisiblement. Cela vous éviterait bien des ennuis. On a peut-être tiré sur votre femme. Mais ne croyez-vous pas que vous vous trouvez en face d'un fou qui veut supprimer les femmes parce qu'elles sont jolies, qu'elles soient brunes ou blondes, selon ses obsessions ou ses fantasmes ?

— N'en parlons plus. J'ai un avis différent. Et c'est mon droit.

— Je ne vous le conteste pas.

Le ton avait changé. Il était moins amical. L'ancien policier ne s'embarrassa plus de considérations. Les vieux réflexes du métier revenaient.

— Nicole Fontange vous a-t-elle parlé d'un certain Vérovich ? Un violoniste yougoslave ?

— J'attendais cette question depuis votre arrivée. Je me demandais seulement de quelle façon vous alliez la formuler.

— J'ai l'habitude d'aller droit au but. C'est plus franc, plus pratique et, au fond, ça fait moins mal. Cela dit, vous n'êtes pas obligé de me répondre. Vous n'êtes pas en audition.

— Nicole ne m'a rien caché. Quand je l'ai connue, elle s'enlisait. Je l'ai aidée à mettre un terme à cette liaison qui fut courte et très orageuse.

— Vérovich est un personnage, paraît-il, violent, irascible et très jaloux.

— Exact. Il est allé jusqu'à gifler Nicole. Je l'ai rencontré et menacé de lui faire sa fête s'il continuait à l'importuner. J'ai dû trouver des arguments convaincants puisque, de ce jour, il l'a laissée en paix.

— Pensez-vous qu'il ait pu se venger ?

— On peut avoir la main leste sans pour cela devenir un assassin.

Massillon eut nettement l'impression que son interlocuteur ne souhaitait pas prolonger l'entretien. Un climat d'hostilité s'instaurait entre les deux hommes.

La sonnette de la porte retentit.

— Veuillez m'excuser.

Et Marcignac alla ouvrir. Massillon put saisir des bribes de conversation. Il s'agissait du gérant de l'immeuble qui venait pour l'état des lieux.

Le commissaire profita de l'absence d'Eric pour se livrer à une rapide inspection. Il contourna le bureau en faisant semblant d'observer le spectacle de la rue. Il tira doucement un tiroir. Son cœur se mit à battre plus fort quand il découvrit un revolver. Un calibre moyen. Sans l'ombre d'un doute un 7,65 belge.

Avisant un passeport juste à côté, avec un geste vif et précis, tout en ayant un œil sur l'entrée pour ne pas être pris en flagrant délit, il tourna la page cartonnée. Il reconnut Marcignac sur la photo. Mais son identité n'était pas la même. Un autre nom figurait à la place du sien : Julien Simonet.

Massillon n'était pas au bout de sa surprise. Il vit également un programme de l'Opéra, avec un talon de billet agrafé à la couverture.

« Je suis sûr qu'il était à Paris le soir du meurtre, pensa le commissaire. Et je mettrais ma main au feu que ce billet lui a permis d'assister à la représentation. »

Il revint à sa place. Avisant un tas de photos sur l'angle du bureau, placées là peut-être pour ête triées, il en subtilisa une rapidement, en prenant tout de même le soin de choisir celle où le jeune homme était très reconnaissable. A côté de lui, Nicole souriait, la tête penchée sur son épaule.

« Et pourtant, soupira-t-il, cette image n'est-elle pas celle du bonheur ? »

Marcignac réapparut.

— Où en étions-nous ? demanda-t-il, presque agressif.

— Je voulais simplement vous dire que Vérovich a pris l'avion hier pour Zagreb.

— Je vous remercie du renseignement, mais je n'ai nullement l'intention de me diriger dans cette région du monde.

Joseph Massillon prit congé en renouvelant ses condoléances. Il faillit dire : « Au revoir, monsieur Simonet ! » Mais il se ravisa, jugeant qu'une telle manœuvre était prématurée. Il se contenta de dire :

— A un de ces jours...

Le diplomate répondit du même ton évasif :

— Peut-être.

## CHAPITRE V

La nuit était tombée. Les rues se vidaient. Une bonne moitié de la population devait se trouver devant les postes de télévision pour suivre le sacro-saint journal de 20 heures.

C'était le moment où, comme les rats, sortent ceux qui exploitent le désespoir et la solitude des autres ou qui en vivent. Heure où l'obscurité salvatrice permet le rêve et où les traînards et les paumés pensent que le meilleur peut encore arriver, et même si, dans les tréfonds de leur moi intérieur, ils savent — sans vouloir se l'avouer — que le pire se trouvera inéluctablement au rendez-vous, au bout de la nuit. C'est-à-dire à l'aube, quand les premières lueurs du jour mettent du rose sur les toits et lèvent le voile trompeur qui recouvrait la ville.

Vieux routier de la brigade des stupéfiants, Antoine Duroc avait pris place à côté de son coéquipier et chauffeur dans la vieille Renault banalisée du Service. Il connaissait parfaitement la carte parisienne de la drogue. Et, selon l'itinéraire suivi, il pouvait établir, avec un coefficient impressionnant de réussite, la liste de ses « clients » qu'il allait rencontrer, sermonner, ou bien appréhender pour un interrogatoire plus poussé mais qui, neuf fois sur dix, n'aboutissait pas, le réseau de la drogue étant l'un des mieux structurés et cloisonnés. Les gros bonnets, eux, ne se laissaient pas prendre dans les filets, vivant confortablement à l'abri de solides et honorables couvertures. Tombaient seulement les derniers maillons de cette chaîne infernale qui attachent les toxicomanes au néant.

La voiture maraudait depuis un certain temps dans Saint-Germain-des-Prés. Rue des Quatre-Vents, derrière l'Odéon, Duroc avisa une jeune fille, en jean délavé et grosse veste de laine qui aurait bien eu besoin de passer au pressing. Sous un porche, elle conversait avec un garçon aux cheveux longs et crasseux. Le conducteur Lecrest arrêta le véhicule en double file. Les deux policiers, selon une technique mille fois appliquée, se mêlèrent un moment aux piétons pour, dans un mouvement concerté, encadrer le couple infernal qui ne recherchait pas l'ombre complice pour échanger un baiser plein de promesses, mais plus prosaïquement quelques sachets de poudre blanche, de neige, contre un paquet de billets de banque. Dans ce commerce, on paie comptant. Et les chèques ne sont pas acceptés.

Se voyant pris en flagrant délit, Alain Guibou qui, après mille et un larcins, en était arrivé à ce moyen pour gagner facilement de l'argent, essaya de se débarrasser de son mouchoir en le laissant tomber derrière lui. Le jeune inspecteur, ceinture noire de judo, connaissait la musique. En un tour de main, il le plaqua contre le mur, les bras en l'air, immobilisé et fouillé.

Duroc n'eut qu'à se baisser pour ramasser le carré de tissu qui contenait, comme les policiers s'en doutaient, une vingtaine de petits sachets renfermant un peu d'héroïne et beaucoup de lactose.

La jeune fille qui, à dix-huit ans, paraissait usée, respirait bruyamment. L'air passait mal dans ses narines pincées par l'état de manque. Les pupilles dilatées, les lèvres tremblantes annonçaient une crise imminente.

— Tout le monde en voiture ! tonna Duroc. On s'expliquera à la Brigade. Si vous bronchez, je vous remets au trou pour un moment. Compris ?

Avertissement sans frais. De toute façon, comment les deux délinquants auraient-ils pu tenter quoi que ce soit, coincés à l'arrière d'une voiture dont il est impossible d'ouvrir les portières de l'intérieur, et le poignet droit de l'un enchaîné au poignet gauche de l'autre ?

Quand ils furent arrivés à destination, au quatrième étage du 36, Quai des Orfèvres, une fouille plus minutieuse fut effectuée. Dans le sac de la jeune fille, les policiers découvrirent une seringue en plastique avec son aiguille sans doute émoussée par un trop grand nombre d'injections et deux billets de cinq cents francs, voisinant avec — en vrac — des tickets de métro, de la petite monnaie, un trousseau de clefs et quelques photos dont celle d'une danseuse que l'objectif avait saisie dans une pose harmonieuse.

— Où as-tu récupéré tout ce fric ? demanda Lambert sur un ton des plus soupçonneux. Ne me raconte pas que tu as gagné au loto ou que tu dois cette manne à un gentil monsieur. Dans ton état, tes services ne valent pas un billet de cinq cents francs.

Ce n'était pas la première fois que la jeune droguée avait à subir un tel interrogatoire. Elle ne pouvait nier ses injections régulières de drogue. Ses bras et ses cuisses, constellés de piqûres d'aiguille dont certaines, infectées, présentaient des cloques et laissaient des cicatrices, auraient donné immédiatement la preuve du contraire. Elle se moquait bien des condamnations, des leçons de morale et des conséquences sur son casier judiciaire ou sur sa réputation. Elle savait, elle sentait que, pour elle, le point de non-retour était dépassé depuis longtemps. Dans l'immédiat, un seul souci la torturait : se procurer de la drogue pour que disparaisse cette effroyable crispation de l'estomac, cette envie de vomir, de se taper la tête contre les murs.

— Et cette photo ? Une danseuse ! Tu n'aurais pas, par hasard, fauché son portefeuille ?

— Non. C'est une amie.

— Tu ne serais pas aussi la copine d'Alain Delon ou de Jean-Paul Belmondo ?

— Je vous dis que je la connaissais très bien. Elle s'appelle Nicole Fontange.

— C'est un nom qui me dit quelque chose, remarqua un inspecteur en soufflant la fumée de sa gauloise.

— C'est elle qui m'a donné de l'argent.

— Très bien. Tu dois avoir ses coordonnées. On va vérifier tout de suite.

— C'est cela. Téléphonez au ciel. Demandez saint Pierre. Il vous la passera peut-être.

— Ma parole, elle se fiche de nous cette paumée.

— Je vous dis que vous ne pourrez rien vérifier.

— Pourquoi donc ?

— Elle est morte ! Et puis, j'en ai marre... j'en ai marre...

La jeune fille, de ses ongles noirs et rongés, se tirait les cheveux. Elle criait presque :

— Faites de moi ce que vous voulez, je m'en fous ! Mais donnez-moi un peu de came ! Vous ne voyez pas que je vais crever, moi aussi ? Je suis en manque comme ce n'est pas possible !

— Nicole Fontange ! Ce n'est pas l'étoile de l'Opéra que l'on a repêchée dans la Seine ? remarqua Duroc.

Puis, s'adressant à celle qui, d'un coup, devenait suspecte, et d'une tout autre affaire beaucoup plus grave qu'une banale interpellation pour usage de stupéfiants :

— Quand t'a-t-elle donné ce fric ?

— Le jour où elle s'est suicidée. Le soir, je l'ai suivie quand elle est sortie de chez Ledoyen. Souvent elle m'a aidée, par affection pour ma mère qui, depuis toujours, l'accompagne au piano.

Lambert siffla entre ses dents.

— Intéressant ce que tu nous racontes... intéressant !

Puis, s'adressant à l'un de ses adjoints, il demanda :

— Va prévenir les gars de la PJ. Je suis persuadé que son histoire les captivera.

Quelques minutes plus tard, Philippe Dyriat entra dans le bureau. Mis au courant de la situation, il attaqua d'emblée :

— Alors, tu prétends que Nicole Fontange faisait partie de tes relations ?

— Si vous ne me croyez pas quand je vous le dis, je peux éventuellement vous le chanter.

Lambert intervint :

— Il faudrait changer de ton avec nous, sinon tu vas te ramasser un aller et retour qui te ramènera à la réalité. Quand Nicole Fontange t'a-t-elle donné cet argent ?

— Le soir, après le spectacle. Comme j'en avais besoin et me voyant dans un état déplorable, elle m'a mis trois billets dans la main, en me prévenant que ce seraient les derniers.

— Quelle heure était-il ?

— Je ne sais pas. Peut-être deux ou trois heures du matin.

L'inspecteur de la PJ la toisa du regard.

— Mais dis donc, tu ne l'aurais pas un peu poussée dans la Seine ? Allons, avoue ! C'est la meilleure chose que tu as à faire.

La droguée poussa un hurlement de bête traquée.

— Mais vous êtes fou ! Complètement fou !

— On a tout notre temps. On va y passer la nuit s'il le faut. De toute façon, on n'a que cela à faire. Mais tu finiras bien par nous faire des révélations.

— Ce n'est pas moi ! Puisque je vous dis que ce n'est pas moi.

— On va t'aider ! Pour des raisons que tu vas nous expliquer, vous vous êtes retrouvées au bord du fleuve. Elle t'a sans doute proposé de marcher un peu. Tu as demandé de l'argent. Comme elle refusait, tu lui as piqué son sac. Elle a dû essayer de te le reprendre. Et tu l'as balancée à la flotte. Ton avocat plaidera que tu n'étais pas dans un état normal et que tu te trouvais sous l'empire de la drogue. Comme la préméditation ne sera pas retenue, tu t'en tireras avec dix ans. Ça te fera une bonne cure de désintoxication.

— Mais ce n'est pas possible !

Carole Renaud voyait les lustres basculer. Une sueur

froide ruisselait le long de son échine. Les émotions, l'angoisse, accentuaient encore son impérieux besoin de drogue. Sa gorge se serrait à un point tel qu'elle n'arrivait pas à avaler sa salive.

— Avoue, et on t'aidera, affirma Dyriat.

Au bout de sa résistance physique et nerveuse, elle craqua.

— Si je vous dis ce qui s'est passé, vous me donnerez un peu de came ?

— Ça marche ! Si tu nous expliques ton histoire, sans chercher à nous mener en bateau, on te refile ton matériel et deux ou trois doses de ton copain. On te laisse un moment dans les toilettes et on ne cherchera pas à savoir à quoi tu occuperas ton temps. OK ?

— Vous me le promettez ?

Carole voyait se dessiner un espoir de mettre fin à ses douleurs physiques. Pour le reste, elle improviserait. Elle serait plus forte pour cela.

— Promis ?

Et pour la tenter davantage, Dyriat plaça sur le bureau, sous la lampe, juste devant elle, la seringue et trois sachets de poudre blanche.

Carole les convoitait comme si la drogue était une source de vie.

— Que voulez-vous que je vous dise ?

— Que c'est toi qui a tué Nicole Fontange.

Avec des mots entrecoupés, hachés, la jeune fille se lança dans sa confession.

— J'avoue. C'est moi. Je l'ai retrouvée au pied de son hôtel. Je lui ai demandé de l'argent pour acheter de la drogue. Elle a refusé en me proposant de marcher un peu pour me calmer. Nous sommes allées au bord de la Seine. Elle a ouvert son sac pour prendre une cigarette. A côté du paquet de Pall-Mall, j'ai vu des billets. Je les ai pris. Elle a voulu les récupérer. On s'est agrippées. Elle a perdu l'équilibre, et elle est tombée à l'eau. Maintenant ma seringue !

— On voudrait des précisions.

— D'abord la seringue ! Je vais m'évanouir...

Les policiers conduisirent la fille dans les lavabos. Elle prépara sa mixture sans aucun souci d'asepsie. Et, fébrilement, elle s'injecta le liquide sous la langue. Pour que l'effet soit plus rapide.

Effectivement, une minute après l'injection, elle sentit le calme revenir en elle avec une fatigue immense. Elle voulait dormir, n'importe où, même sur les carreaux, et ne plus se réveiller. Jamais.

Un policier la reconduisit au bureau en la tenant par le coude. On lui tendit une feuille de papier avec un texte tapé à la machine.

— Signe là ! lui dit-on.

— C'est quoi ?

— Ta déclaration.

— Laquelle ?

— Tes aveux.

— Ce n'est pas vrai !

— Ah non ! Tu ne vas pas remettre ça ! Si tu mets de la mauvaise volonté, on te charge au maximum. Et c'est vingt ans que tu écoperas.

Carole était épuisée. Elle voulait en finir avec cette sinistre plaisanterie. Comme un automate, elle saisit le stylo qu'on lui tendait et elle gribouilla son paraphe au bas de la page.

— Parfait ! s'exclama Dyriat, considérant ces aveux comme un succès personnel. Nous allons prévenir le juge d'instruction et le substitut. C'est une affaire qui va faire du bruit.

Carole fut conduite au Dépôt. Elle s'allongea sur un matelas sale qui sentait le moisi. Elle se mit en boule et ferma les yeux. Et elle se retrouva dans des draps frais et roses, dans son lit d'enfance, avec, au-dessus d'elle, le visage souriant de sa maman qui lui murmurait :

« Bonne nuit, mon chaton ! »

Elle sombra enfin dans un monde sans dimensions ni pesanteur. La drogue faisait son effet.

\*\*
\*

De retour à l'hôtel, Joseph Massillon venait à peine de poser son pardessus que la sonnerie du téléphone le fit sursauter.

Il se précipita au salon, redoutant d'entendre dans l'appareil la voix d'Aurélie lui annoncer des nouvelles alarmantes. Le cœur soudain serré, il décrocha le combiné et poussa un soupir de soulagement quand il eut son interlocuteur au bout de la ligne.

— Excusez-moi, commissaire. Je suis madame Renaud, la pianiste de Nicole Fontange. Nous nous sommes rencontrés au cimetière.

— Je me souviens.

— Il faut absolument que je vous parle. C'est extrêmement grave.

— A quel sujet madame ?

— On a arrêté ma fille.

— Mais je suis en retraite. Je ne puis rien pour vous. Qu'a-t-elle donc fait ?

— On l'accuse du meurtre de Nicole. Mais ce n'est pas elle la criminelle, je vous le jure !

Mme Renaud parlait sur un ton désespéré. Massillon devinait son désarroi.

— Etes-vous certaine de ce que vous affirmez ?

— Hélas oui ! Carole a passé la nuit en prison et dans quel état ! Commissaire, je vous en supplie, laissez-moi vous rencontrer. Je vous expliquerai tout. Je ne connais personne. Aidez-nous !

Massillon prit rapidement sa décision.

— Où vous trouvez-vous actuellement ?

— A l'Opéra. J'accompagne les petites de l'Ecole de Danse.

— Pourrez-vous vous libérer un moment ?

— Sans problème.

— Très bien, j'arrive. Où dois-je vous retrouver ?

— Devant l'entrée des artistes. Ce sera plus simple pour vous. Elle est située derrière l'Opéra.

— Je connais. D'accord. J'y serai dans une petite demi-heure.

Joseph Massillon demanda au room service qu'on lui

montât un café. Il le but dans son fauteuil, en fumant une gitane. Il paraissait se détendre. En fait, il réfléchissait à tous les tenants et les aboutissants de cette mystérieuse affaire dans laquelle, malgré lui et sans l'avoir cherché, il se trouvait maintenant mêlé.

Le café et la mignonnette de cognac prise dans le mini-bar de sa chambre lui redonnèrent une énergie nouvelle. Et c'est d'un pas décidé qu'il regagna sa voiture.

Il reconnut la frêle silhouette de Simone Renaud qui l'attendait à l'endroit convenu. Elle lui serra longuement la main comme si elle s'accrochait à une bouée de sauvetage. Massillon fut troublé par son visage torturé. Par ses yeux rougis d'avoir trop pleuré. Il la saisit par le coude pour l'aider à traverser la rue en direction du café situé sur le trottoir d'en face.

Ils trouvèrent une table tranquille au fond de la salle et, sans plus attendre, le commissaire suscita les confidences.

— Je vous écoute, madame.

— Je ne sais pas très bien par quel bout commencer.

— Par le dernier événement. Au téléphone, vous m'avez dit que la Police a procédé à l'arrestation de votre fille.

— Ils l'ont prise pour une banale affaire de drogue.

Massillon fronça le front et ne put s'empêcher de faire remarquer :

— Dans ce domaine, madame, rien n'est banal. Tout est grave.

— Je suis bien d'accord avec vous, commissaire. Mais ma fille n'est qu'une victime.

— Elle se drogue ?

— Oui.

— Depuis longtemps ?

— Trois ans. J'ai tout essayé. Les cures de désintoxication, le voyage où, sur ce bateau, le prêtre s'occupe des jeunes, tout ! A chaque fois, elle est retombée.

— Elle fume de la marijuana ?

— Elle en est arrivée aux drogues dures. Ma pauvre

enfant! Elle se pique à la morphine, à la cocaïne... A tout ce qu'elle peut se procurer. Pour elle, j'ai vendu tout ce que je possédais.

— Et quand l'a-t-on arrêtée?

— Hier. Au moment où elle achetait ces sachets de mort. Pourquoi les policiers n'arrêtent-ils pas les gros bonnets, ceux qui pourrissent les jeunes? Ma fille a été entraînée sur cette mauvaise pente par un garçon qu'elle aimait. Pour se procurer de l'argent, quand je n'ai plus eu la possibilité de lui en donner, elle a fait n'importe quoi. Même se prostituer. C'est lamentable!

Massillon comprenait, ô combien, le côté dramatique de cette situation et l'angoisse de cette mère. Mais il souhaitait qu'on en arrivât au sujet qui le préoccupait. La mort de Nicole Fontange, dans un premier temps, et la tentative d'homicide volontaire sur sa propre personne dans un deuxième, et qui avait eu pour conséquence de blesser plus ou moins grièvement un être qu'il chérissait.

— Quels étaient les liens entre votre fille et Nicole et quel rapport existe-t-il entre l'interpellation de votre fille et la mort de la danseuse?

— J'y viens. Lors de son interrogatoire, Carole a expliqué aux policiers qu'elle détenait la somme trouvée sur elle — à savoir deux billets de cinq cents francs — de notre amie Nicole. On lui a demandé à quel moment cet argent lui a été remis. Comme elle n'avait rien à dissimuler, elle a dit la vérité. Elle avait rencontré Nicole le soir du suicide... ou du meurtre. Les inspecteurs en ont conclu que c'est ma pauvre enfant qui a poussé Nicole dans la Seine. C'est horrible! Carole avait beaucoup d'affection et de reconnaissance pour Nicole. Beaucoup d'admiration aussi. C'est absurde de penser qu'elle aurait pu commettre un tel crime.

— Elle sera vite mise hors de cause par le juge d'instruction.

— Commissaire, ma fille a été forcée de signer des aveux.

— Que voulez-vous dire par là ?

— Quand elle a été arrêtée, Carole avait besoin de drogue. Pour en obtenir un peu, elle aurait reconnu n'importe quoi. Et c'est ce qu'elle a fait. Aidez-la ! Je vous en prie, aidez-nous !

— Je n'ai pas le pouvoir d'influencer le juge dans sa décision. Mais je vous promets de me renseigner et de voir dans quelle mesure on peut aider votre enfant.

Ce qu'il venait d'apprendre tourmentait Joseph Massillon. Le nouveau scénario qui se dessinait ne manquait pas de logique. La danseuse avait pu parfaitement avoir été poussée dans le fleuve par cette jeune droguée et il n'existerait aucun rapport entre la mort de l'étoile et le fou qui avait tiré sur sa propre voiture et blessé sa femme.

Vladimir Oustrine entra pour acheter un paquet de Gauloises. Massillon hésita à se lever pour aller le saluer. Finalement, il s'abstint. Et poursuivit avec Mme Renaud.

— Pourrais-je vous demander un service ? J'aimerais rencontrer l'ouvreuse qui place les spectateurs du premier balcon, porte C.

Voyant qu'il devait fournir une explication, il ajouta :

— Je voudrais vérifier un élément important, qui, peut-être, pourra nous faire avancer.

— C'est facile, il s'agit de Juliette Dupuy. Elle est même là en ce moment. Pendant la journée, elle tient la buvette. Si vous le souhaitez, je peux aller la chercher.

— Excellente idée. Comme je n'en ai pas pour longtemps avec elle, je vous attendrai devant l'entrée.

Quelques minutes plus tard, Juliette Dupuy, qui comptait trente années de service à l'Opéra et qui tenait sa charge de sa mère, se présentait, un peu inquiète et flattée qu'un commissaire, même en retraite, désirât lui parler.

Massillon ne s'embarrassa pas de considérations superflues. Il sortit la photo qu'il avait subtilisée dans le bureau d'Eric de Marcignac et la présenta à l'employée.

— Reconnaissez-vous cet homme ? Si oui, l'avez-vous vu à l'Opéra, le soir du gala d'adieu de Nicole Fontange ?

Mme Dupuy prit le cliché. Et, sur un ton grave, elle déclara :

— Cela ne fait aucun doute. C'est lui. Je l'ai placé. Je me souviens, car il m'a donné un pourboire royal. Un billet de cinquante francs. Son attitude m'avait un peu intriguée, car il est arrivé au dernier moment et il a tenu à entrer dans la salle juste avant la fermeture des portes, lorsque les lumières s'éteignaient pour le lever du rideau.

— En êtes-vous bien certaine ?

— Absolument.

— Très bien. C'est tout ce que je voulais savoir. Je vous en remercie.

L'ex-commissaire prit congé en promettant à Simone Renaud de s'occuper de sa fille. Il avait maintenant la preuve formelle qu'Eric de Marcignac mentait. Le fiancé de la danseuse était bien à Paris le soir du crime, si crime il y avait eu. Pourtant, il n'avait pas voulu être à ses côtés. Ce qui paraissait totalement illogique et absurde. Quel but poursuivait donc cet étrange personnage en suivant dans l'ombre sa fiancée, en assistant incognito à ses adieux à la scène ? Pourquoi ces faux passeports ? A quoi pouvait bien servir ce revolver 7,65. Autant de questions auxquelles il faudrait bien, un jour, apporter des réponses.


CHAPITRE VI


Massillon regarda sa montre. Il disposait encore d'un peu de temps avant de remonter à Garches. Arrivé place de la Concorde, au lieu de prendre les quais à droite, en direction de la Porte de Saint-Cloud, il les enfila sur la gauche pour se rendre... Quai des Orfèvres.

Tellement marqué par sa carrière, par le temps consacré à la poursuite des assassins de tous acabits, l'heure de la retraite l'ayant sonné de plein fouet, longtemps il évita le quartier pour ne pas sombrer dans une nostalgie ridicule. Pour rien au monde, il n'aurait voulu jouer les Anciens Combattants du crime. Maintenant, il revenait en ces lieux où chaque bistrot, chaque pierre presque, marquait pour lui un souvenir. Mais ce n'était jamais sans un pincement de cœur.

Il n'avait pas perdu le profil — ou l'allure — d'un fonctionnaire de la Maison puisque le flic en faction en bas ne lui demanda pas ses papiers et, qui plus est, le salua avec la déférence que l'on doit au patron.

Arrivé au quatrième étage, il remarqua les murs repeints et le planton installé dans une cage en verre, ce qui lui donnait tout à fait l'impression d'évoluer dans un aquarium.

Connaissant le bureau des inspecteurs où il savait trouver son filleul, il ne demanda rien à personne et tendit la tête dans la pièce où les policiers travaillaient sur des dossiers en attendant de partir.

Philippe Dyriat aperçut son parrain. Il se leva pour l'accueillir, très fier de présenter le célèbre commissaire à ses collègues. Plusieurs d'entre eux — les plus vieux — l'appelèrent « Patron », ce qui lui alla droit au cœur.

— Quel bon vent t'amène ? demanda le filleul.

— Je passais dans le quartier. Je suis simplement monté pour te dire un petit bonjour.

Puis il enchaîna :

— Alors, vous avez mis la main sur l'auteur de l'assassinat de la danseuse étoile ?

— Tiens ! Tu es déjà au courant ? Les nouvelles vont vite. En effet. C'est une paumée. Elle doit être présentée demain au juge d'instruction.

Un inspecteur principal s'adressa à l'ex-commissaire.

— Patron, vous pouvez être fier de votre filleul.

C'est lui qui l'a fait accoucher. Il a réussi à lui extirper des aveux.

Massillon n'exprima pas tout ce qu'il aurait aimé répondre. Mais en descendant les marches d'escalier en compagnie de Philippe, il lui posa la main sur l'épaule avec affection.

— Tu as encore besoin de prendre de la bouteille, fiston ! Il est possible que la jeune droguée ait commis cet assassinat. Mais je ne le crois pas. Et cela pour plusieurs raisons. Il s'agirait d'un crime trop simple. Trop classique. De plus, je pars du principe qu'on ne tue pas la poule aux œufs d'or. Nicole Fontange avait déjà affirmé à Carole Renaud qu'elle ne lui lâcherait plus un sou. Et pourtant, à chaque demande, elle recommençait. Par faiblesse. Par amitié pour la mère. La droguée devait savoir qu'un jour ou l'autre, elle pourrait à nouveau faire appel à la générosité de la danseuse. Ton raisonnement ne tient pas le parcours.

Dyriat perdit tout son enthousiasme. S'il n'avait pas eu autant de respect et de tendresse pour son parrain, il l'aurait sans doute renvoyé à sa retraite en lui conseillant de s'occuper de ses géraniums qu'il faisait pousser sur le balcon, et de sa collection de timbres. Il se contenta de l'écouter en priant le Bon Dieu de ne pas être à l'origine d'une erreur judiciaire. Il décida :

— Je vais retourner voir la nana au Dépôt. Et reprendre tout par le début. Si je me suis mis le doigt dans l'œil, je n'hésiterai pas à en parler au juge d'instruction.

— C'est bien, fiston. Je crois que ton père serait fier de toi.

Dans le bureau, les conversations allaient bon train. Le directeur de la PJ s'inquiéta de la présence dans les murs de son ancien collaborateur.

— La dernière fois qu'il est venu ici, c'était pour nous offrir sur un plateau la clef d'une énigme que nous ne parvenions pas à résoudre. Je me demande bien ce qu'il mijote. Dyriat s'est occupé de la danseuse. Je mettrais ma main au feu que Massillon a reniflé quelque chose.

Après avoir bu une bière avec son filleul, l'ex-commissaire prit congé. Mais il effectua un faux départ et revint au café pour téléphoner. Il appela son vieux copain de toujours, le commissaire Lantier, qui régnait sur le service dont on parle le moins possible, celui des écoutes téléphoniques. Tout heureux d'entendre son ancien collègue, et toujours ami, Lantier accepta bien volontiers le rendez-vous pour l'apéritif au bar de l'hôtel « Elysées Marignan ».

Les deux hommes s'y retrouvèrent quelques jours plus tard. L'ambiance y était feutrée. Le barman agitait son shaker pour préparer quelques cocktails dont il avait le secret.

Ils commandèrent deux whiskies. Avant d'exprimer sa requête, Massillon prit la température de la Grande Maison. Et ce qu'il entendait lui rendait moins amers les regrets de l'avoir quittée.

— Ce n'est plus comme avant ! expliquait à son ami le commissaire en activité. La politique a fait son apparition dans le métier et elle pourrit tout. On assiste à des querelles intestines. A des intrigues. A des règlements de comptes intérieurs. Et puis, la Justice ne suit plus. On prend des risques pour neutraliser les crapules, elles sont relaxées, ou on les retrouve dehors trois mois après. Et puis, les jeunes n'ont pas la même mentalité que nous.

Au bout d'un moment, Massillon se demanda si son ancien collègue n'en remettait pas un peu, s'il ne noircissait pas le tableau pour lui éviter une certaine nostalgie.

— Bernard, j'ai besoin d'un coup de main. Je ne te cache pas qu'il s'agit d'un service difficile. Si tu ne veux pas, ou si tu ne peux pas, je ne t'en tiendrai absolument pas rigueur. Je comprendrai très bien.

— Joseph, abrège le préambule ! Tu sais bien qu'à toi je ne peux rien refuser. Si c'est dans mes cordes. Mais tu me fais peur. Tu n'as pas d'ennuis au moins ?

— Si.

Lantier lâcha le plus français des jurons.

— Explique.

— Je crois que l'on a essayé de me tuer. Et c'est ma femme qui a été blessée.

Et Massillon narra par le détail les péripéties de l'autoroute. Puis il en arriva aux points d'interrogation qui se posaient sur la vie et la personnalité d'Eric de Marcignac.

— Je voudrais que tu me mettes ce type sur écoute. De toute façon, cela ne durera pas longtemps, puisque l'oiseau doit s'envoler. S'il est pour quelque chose dans ces deux affaires, je voudrais bien le faire cueillir avant qu'il ne mette de la distance entre la Justice et lui. Je n'ignore rien de la procédure indispensable pour que tu puisses mettre une ligne sous surveillance. Si ce n'est pas possible, tant pis !

Et Massillon haussa les épaules en soufflant la fumée de sa Gitane. Bernard vida son verre et enchaîna.

— Effectivement, je ne te fais pas un dessin sur les écoutes... Cela dit, je vais m'occuper de ton gus. Seulement, même si tu découvres des éléments qui t'intéressent, tu ne pourras pas en faire état officiellement. Nos confrères, et le juge, se demanderaient, à juste titre, comment tu as pu enregistrer les communications en question.

— Aucun risque, Bernard ! C'est juste pour me faire une idée. Je trouverai, le moment venu, un autre moyen pour le confondre.

— Tu as le numéro de ton client ?

— Il faudra le trouver car il est sur la liste rouge.

— Tu veux dire que les PTT ne veulent pas fournir son numéro ?

— Exactement !

— Bon ! J'en fais mon affaire. Retrouvons-nous tous les jours à cette même heure, ici si tu veux, et je te donnerai les bandes. Mais je te conseille de les effacer après que tu en auras pris connaissance.

— Compte sur moi. Bernard, tu es vraiment un ami.

— Tu agirais de la même façon pour moi. Et si je peux t'aider à coincer ton agresseur, je n'aurai pas perdu mon temps.

Les deux amis se séparèrent. Dans l'adversité, Massillon se sentait chaud au cœur par cette preuve d'amitié. Son vieux copain, s'il était découvert, risquerait de sérieux ennuis, pouvant aller jusqu'à la révocation. A deux ans de la retraite, ce serait vraiment stupide et regrettable !

Repensant au désarroi de Simone Renaud, Massillon fit un détour par l'Opéra, avant de se rendre à l'hôpital. Il assista, dans l'une des nombreuses salles, à la leçon que donnait Vladimir Oustrine aux futures étoiles. Il admira la grâce des élèves, et le talent de leur Maître. Dès qu'elle put se libérer, la pianiste le rejoignit. Elle regagna sa place, soulagée, le brave commissaire lui ayant appris qu'un policier allait reprendre l'enquête depuis le début.

Malgré ses soucis, ses doigts volèrent plus légèrement de note en note sur le clavier.

*
**

Joseph Massillon passa toute la journée du lendemain au chevet de sa femme.

La blessée allait beaucoup mieux. Ne pouvant lever le bras, elle avait demandé à sa petite-fille de la coiffer. De lui mettre un peu de fard et de rouge à lèvres pour lui éclairer le visage. Aurélie se rendit bien compte que son grand-père était déjà bien engagé sur le sentier de la guerre et même, vu son excitation, qu'il progressait. Elle voulut le calmer.

— Ménage-toi ! Laisse faire les policiers de Saint-Cloud. Ne te fatigue pas. L'essentiel, c'est que Mamie soit vivante.

— Heureusement, dit Lucie, que nous avions changé de place.

— Ah non ! Je regrette que la balle ne m'ait pas atteint, moi.

Le moment venu de partir, il quitta la chambre de sa femme sans fournir aucune explication. Durant le parcours, il se demandait quelles révélations allaient lui fournir la bande que lui remettrait son copain Lantier.

Celui-ci l'attendait devant l'hôtel. Au lieu de l'inviter à entrer, il lui proposa de marcher.

— Inutile que l'on nous voie ensemble. Je renifle quelque chose qui n'est pas du tout catholique. J'ignore tout de ton type. J'avais eu l'intention de demander aux Renseignements Généraux s'ils possédaient une fiche à son sujet. Mais, après écoute de la bande, je me suis abstenu. Et finalement, si je devais te donner un conseil, je te dirais de laisser tomber. Remarque, têtu comme je te connais, au lieu de lever le pied, tu vas accentuer tes investigations. Voilà le document et oublie qu'on s'est rencontrés aujourd'hui !

— Merci Bernard. Je te revaudrai cela.

— Ne t'inquiète pas. J'ai été particulièrement heureux de t'être agréable en te rendant ce petit service.

Massillon rentra au plus vite à l'Elysées-Marignan, pour écouter cette fameuse bande qui lui brûlait la peau au travers de la poche de son manteau. Il se servit un Defender et plaça la cassette sur le magnétophone. La bande commença à se dévider sans que les conversations n'offrent un grand intérêt. Rendez-vous chez le coiffeur. Appel de l'une des sœurs de Marcignac, qui résidait en Suisse. Autres appels d'un ami lui proposant de déjeuner ensemble. D'un notaire pour la vente d'un terrain familial dans le Poitou. Et d'un certain Laurent qui confirmait l'heure d'un rendez-vous à l'endroit habituel. L'avant-dernière conversation paraissait beaucoup plus intéressante :

— Allô... c'est moi.

— Comment vas-tu ?

— Ça irait mieux si tu t'occupais davantage de moi.

— J'ai fait ce que j'ai pu.

— A d'autres ! Je n'ai plus l'âge de croire aux histoires du Père Noël.

— Je te dis que j'ai essayé... Ils ne veulent rien entendre.

— Mais toi, débrouille-toi !

— J'ai essayé.

— Je ne voudrais pas être méchante. Mais je suis bien décidée à aller jusqu'au bout.

— Et ça te mènera où ?

— Au même endroit que toi.

— Tu trouves que les cimetières ne sont pas assez pleins ?

— Il ne fallait pas t'occuper à les remplir.

— Tu déraisonnes complètement.

— Pas tant que cela. Et je vais te dire une chose. Je trouve que la mort de ta fiancée arrange bien la situation. Elle aussi, sans doute, en savait trop !

— Mais tu deviens complètement folle !

— N'en crois rien ? Au contraire, je comprends tout maintenant. Et j'imagine parfaitement le scénario que tu as dû monter à cette petite sotte qui a cru au grand amour.

— Je ne te permets pas...

— Je me gênerais ! Je n'ai pas oublié les beaux discours que tu me tenais, à moi, quand nous allions à Senlis. Je suppose qu'ils étaient les mêmes pour Nicole.

— Calme-toi. La colère n'arrangerait rien.

— Mais je suis très froide. Tu m'obtiens ce que je t'ai demandé et je ne me montre pas curieuse au sujet de la mort de cette fille. Si tu ne fais rien pour moi, je te laisse imaginer ce que je pourrais envisager. Désolée, mon cher, mais tu es pris à ton propre piège.

— Tu sais bien que je n'agissais pas pour moi. Et si je t'avais devinée aussi cupide, je me serais bien gardé de te proposer...

Eric s'interrompit :

— Ne quitte pas. Je veux vérifier un truc...

Au bout de quelques secondes, il reprit :

— Sois au moins intelligente et tais-toi. Je te rappellerai de l'extérieur. Je viens de vérifier. Nous sommes sur écoutes. Et on ne sait jamais d'où viennent les gens qui se montrent si curieux. Encore que j'aie une idée assez précise sur la question. Mais c'est un autre problème. Pour toi, il en va de ta sécurité. Ne fais pas de sottises. Tout le monde y laisserait des plumes. »

Massillon entendit un déclic. Le téléphone était raccroché.

Il resta un long moment perplexe. Puis il remonta la bande et la réécouta plusieurs fois. Cette histoire le dépassait. Il n'apprendrait plus rien par d'autres écoutes, Eric se tenant désormais sur ses gardes. Il pensa que le fiancé de Nicole devait posséder ce gadget de l'électronique qui lui avait permis de déceler la table d'écoutes. Il retint la seule information qui lui permettrait peut-être de remonter ce fil d'Ariane. En retrouvant l'interlocutrice, il parviendrait peut-être à éclaircir ce qui, semblait-il, perdait de plus en plus de son mystère. Senlis !

« Heureusement, pensa-t-il, qu'il ne s'agit pas de Calcutta ! Où pouvaient-ils bien se retrouver ? s'interrogea-t-il, émoustillé par ce jeu de piste. On peut imaginer qu'une idylle a existé entre cette femme et lui. Donc, le couple — illégitime puisque Eric devait être encore marié — se réfugiait sans doute dans une auberge. Si l'on tient compte de la classe sociale de l'individu, les ébats ne devaient pas avoir lieu dans une gargote, mais plutôt dans l'un de ces relais de campagne comme il en existe dans les forêts d'Ile-de-France, avec cheminée, bonne table et chambres à l'étage.

Massillon sortit de l'hôtel et acheta dans une librairie de la rue de Marignan un guide de l'Ile-de-France et la dernière édition du guide Michelin. Quand il fut tranquillement installé dans un fauteuil, il les consulta en cochant tout ce qui lui paraissait possible. Une heure après, il disposait d'un itinéraire qu'auraient beaucoup envié les amoureux fortunés en quête d'un gîte champêtre pour cacher leurs amours illégitimes.

Il passa la matinée du lendemain à sillonner la région de Senlis. Passant systématiquement au peigne fin tous les établissements cochés, il commençait par prendre une consommation qui allait du simple thé au Defender, puis, demandant le patron ou la patronne, il se présentait comme un policier recherchant un individu et il montrait la précieuse photo.

« A la Diligence », la direction ayant changé, il fit chou blanc. Pourtant, cette auberge aurait pu les accueillir un jour ou un autre. Ou plutôt une nuit. Le propriétaire du « Relais du Roi » ne voulait visiblement pas jouer les indics. Le commissaire aurait parié gros qu'il s'agissait d'un ancien truand converti sur le tard à l'honnêteté, et rangé des voitures. Les deux responsables de « La Perdrix Blanche », un couple d'homosexuels, firent un réel effort de mémoire, et promirent de passer un petit coup de fil si ce monsieur se présentait. Ils offrirent en prime la tournée de la maison.

L'ex-commissaire en conclut que, cherchant ses bonnes grâces, ils devaient avoir des choses à se reprocher.

A « l'Auberge de la Forêt », Joseph Massillon commençait à désespérer et à envisager de prendre la route du retour. Il ne savait plus quoi ingurgiter. Sa tête tournait un peu et il se disait qu'il devait être capable de faire virer au violet tous les alcootests des gendarmeries avoisinantes.

Assis sur un tabouret du bar, il regardait distraitement les photos qui tapissaient le mur et dédicacées par les artistes qui, pour une raison ou une autre, avaient fait halte dans cet établissement, Marcel Azzola, l'as de l'accordéon, Maurice Larcange, le roi du bal musette, Adamo avec son gentil sourire, Nicoletta, Annie Cordy, Pierre Perret, et bien d'autres encore. Soudain, son regard s'arrêta comme celui d'un chien de chasse, devant l'image d'une danseuse qui dessinait une arabesque. Pour mieux voir, il chaussa ses lunettes et lut les quelques lignes griffonnées en travers de l'épreuve.

« Pour l'Auberge de la Forêt, pour Marc et Louisette, en remerciement de leur gentillesse et pour la qualité de leur accueil. Amical souvenir. » Suivait la signature : Tania Maximova.

Du coup, Massillon entama le dialogue avec la femme qui officiait devant les bouteilles.

— Servez-vous du champagne à la coupe ?

— Bien sûr, monsieur.

— Parfait. Je vais me laisser tenter.

De l'office, une voix appela :

— Marc, tu peux venir ?

En dégustant sa boisson préférée, le policier se mit à espérer. Les requins chassent toujours dans les mêmes eaux.

Quand le patron fut de retour, il engagea la conversation.

— Une belle collection de vedettes... J'ai eu l'occasion de rencontrer certaines d'entre elles.

— Elles sont toutes devenues des amies... des amis.

— Tania Maximova descendait chez vous ?

— Oui. Mais on ne la voit plus. Vous la connaissez ?

Massillon se mit à mentir effrontément :

— Très bien.

— Elle venait ici avec Bertrand. Son ami qui travaillait dans l'import-export.

Massillon sortit la photo de sa poche intérieure et la tendit.

— Tenez. Ça va peut-être vous rappeler des souvenirs.

Marc s'exclama :

— C'est bien lui. Sacré Bertrand ! Un chic type. Dommage qu'ils se soient séparés. Ils dînaient toujours à la même table. Celle près de la cheminée. Et voulaient la chambre 7. Non par superstition, mais Tania disait qu'en s'habituant au décor, elle avait plus l'impression d'être chez elle. J'ai lu qu'elle devait aller poursuivre sa carrière aux Etats-Unis. Elle a bien raison. Là-bas qu'est-ce qu'elle va ramasser comme dollars ! En France, les étoiles pâlissent vite et, à part la perspective d'ouvrir une école de danse, l'avenir ne leur offre guère d'autres issues.

Marc s'attendait à ce que son client parlât à son tour de leurs amis communs. Il remplit délibérément la coupe que ce dernier venait de vider. Mais l'ex-policier cherchait plutôt à mettre un terme à l'entretien. Et pour cause…

Au bout d'un moment, le patron devint plus réservé. Soupçonneux même. Il s'absenta une minute et revint avec celle qui devait être Louisette. Le couple se planta devant lui en l'observant. La femme attira ensuite son mari et lui chuchota à l'oreille :

— Je te dis que c'en est un. Je les renifle…

— Tu sais bien que les poulets se déplacent par deux.

— C'est peut-être un privé.

— La meilleure façon de le savoir, c'est encore de le lui demander.

Louisette, plus arrogante, attaqua la première :

— Et la photo de Bertrand, c'est vous qui l'avez prise ?

— Oui, en quelque sorte, répondit Massillon, amusé intérieurement.

— Et vous vous baladez avec un album de photos sur vous ?

La question était bien posée.

— Non.

— Alors, ce n'est pas la peine de nous offrir un tour de manège. On descend au prochain tour. Vous êtes un flic !

— Qu'est-ce qui vous le laisse supposer ?

— On ne connaît pas beaucoup la vie de Bertrand. Il a peut-être trempé dans des affaires plus ou moins louches, ajouta Marc. Ce qui m'étonnait — et j'y repense maintenant — c'est qu'il payait toujours ses notes en liquide. Pas de carte de crédit. Pas de chèques. Ça nous arrangeait, nous.

Puis s'apercevant qu'il faisait une gaffe, il s'empressa d'ajouter :

— Ce n'est pas que l'on veuille frauder le fisc en ne déclarant pas tout. Mais le liquide évite les paperasseries.

— Quand ont-ils cessé de venir ?

— L'an dernier. Il y a même plus près de deux ans que d'un.

Considérant qu'il avait tiré tout ce qu'il souhaitait, l'ex-commissaire régla sa note et se dirigea vers la sortie.

Marc lui ouvrit la porte et le gratifia d'un « Au plaisir » aussi détendu et sincère que les salutations adressées par un mauvais contribuable à l'huissier qui vient de saisir sa dernière chemise.

En rentrant sur Paris, Massillon se dit qu'il n'avait pas perdu sa journée. Et il se promettait d'avoir une conversation intéressante avec Tania Maximova au sujet de Bertrand, alias Eric, alias... Il se félicita d'avoir revu Simone Renaud. Elle pourrait sans doute lui arranger une rencontre. Restait à trouver le prétexte. Mais il avait encore le temps pour la réflexion.

Sur la route, pour ne pas être en retard à son rendez-vous, il accéléra, ne respectant pas la limitation de vitesse.

Il se rendit directement au Carré « Ledoyen » où il avait convié son vieil ami, Jean Bertie, un journaliste qui attendait l'heure de la retraite après une carrière bien remplie aux informations générales et à la rubrique judiciaire. C'est à ce titre qu'il l'avait rencontré, trente-cinq ans plus tôt quand, jeune commissaire, il venait de prendre ses fonctions, Quai des Orfèvres. Une certaine complicité s'était instaurée entre les deux hommes et elle avait débouché sur une amitié réciproque.

Bertie, arrivé le premier au Carré « Ledoyen », attendait son ami devant une coupe de champagne, en dégustant quelques amuse-gueule. Il appréciait le charme discret de l'endroit et la parfaite tenue du personnel.

Le maître d'hôtel conduisit Massillon à la table qu'il

avait réservée. Un franc sourire éclaira son visage en découvrant Bertie apparemment en bonne forme malgré l'approche de la retraite. Les deux vieux complices se donnèrent l'accolade.

— Ça ne nous rajeunit pas, avoua le journaliste. Vous vous souvenez du gang des Alfa Romeo ? Il vous a donné du fil à retordre celui-là ! Et ce tueur qui se faisait appeler Jésus... Ce tueur qui liquidait les gens par mysticisme ? Il n'y avait que vous pour aller chercher si, par hasard, des séminaristes n'auraient pas quitté leur institution pour troubles mentaux. Et l'investigation était bonne puisqu'elle vous a permis d'empêcher ce fou de commettre d'autres crimes.

— Eh oui ! soupira Massillon. Comme on dit, c'était le bon temps !

Les deux amis consultèrent la luxueuse carte qui leur était proposée. Par délicatesse, celle de Bertie, l'invité, ne comportait pas de prix.

D'un commun accord et trouvant qu'il était plus drôle de manger la même chose, ils optèrent pour un tartare de saumon et sa corolle d'endives, et un pavé de morue fraîche rôti aux huiles de fenouil, l'une des spécialités du chef de cuisine, Jean-François Lemercier.

Le sommelier proposa un pouilly fumé de « La Moynerie ». Il expliqua que Michel Redde, le récoltant, livre son vin au Vatican. Comme vin de messe, mais aussi pour le plaisir du palais du Pape.

Les formalités — bien sympathiques au demeurant — réglées, Massillon expliqua sa requête.

— Un jour vous m'avez fait visiter vos archives. Je présume que vous avez un dossier sur une danseuse de l'Opéra qui s'appelle Tania Maximova. Me permettez-vous de le consulter ?

— Je ne peux rien vous refuser. On va même agir mieux que cela.

Bertie demanda à téléphoner. On lui apporta un appareil portatif afin qu'il puisse passer sa communication sans quitter la table. Il appela sa secrétaire et lui demanda de faire une photocopie de toutes les coupures de presse concernant l'artiste en question, et de les lui faire parvenir au Carré par coursier.

A la fin du repas, le temps de boire un café, un Arabica de Haïti (solide et charpenté, indiquait la carte en précisant qu'il fut l'un des préférés de Talleyrand), le coursier livrait les documents.

Bertie chercha à connaître les raisons de la demande plutôt curieuse du policier. Massillon resta évasif.

— C'est pour ma petite-fille. Elle se passionne pour tout ce qui touche à la danse.

Le journaliste cligna de l'œil.

— Comme dans le temps, mon cher Commissaire, je respecterai votre silence. Mais vous ne me ferez pas croire à ce prétexte. Si vous êtes sur un coup, je suis à votre disposition pour vous ouvrir nos colonnes. J'écris pour les spectacles et c'est plus paisible pour moi. Mais je peux encore torcher un papier sur une affaire ou une autre.

— Mon cher Bertie, vous me donnez une idée. Mais il est encore prématuré de vous en parler. Laissez-moi quelque temps, mais, pour être franc avec vous, il n'est pas tout à fait impossible que je fasse appel à vos bons services.

— Vous me mettez l'eau à la bouche. Je ne puis en savoir davantage ?

— Non ! En fait d'eau... il s'agirait plutôt de champagne !

Sur cette plaisanterie, Massillon prit congé. Il aurait bien continué cette enquête puisque, désormais, il avait un fil conducteur. Mais il voulait arriver à l'hôpital avant la fin de l'après-midi.

Près de son épouse, il jugea que son état de santé s'améliorait considérablement. Il resta un long moment à ses côtés, lui expliqua qu'il avait revu certains de ses anciens collègues de la PJ, en lui faisant part de son déjeuner avec Bertie.

Sa femme le regarda avec tendresse.

— Je sais que tu n'auras de cesse d'arrêter celui qui nous a tiré dessus. Mais je ne voudrais pas que tu te fatigues. Pourquoi ne rentrerions-nous pas à la maison? Quand on me laissera sortir de l'hôpital, je pourrais y revenir en ambulance. Paris-Moulins, ce n'est pas une affaire !

— Pas question. Je veux pouvoir te voir tous les jours. J'ai deux ou trois choses à régler à Paris. Et puis pour tout t'avouer, je me plais beaucoup à l'hôtel « Elysées Marignan ».

Il quitta Garches pour rejoindre Paris.

Ayant bien déjeuné, il se fit servir une légère collation dans sa chambre, puis se mit au lit.

Calé dans ses oreillers, il voulut lire tous les articles consacrés à l'étoile. Mais le sommeil le gagna. Et il ne put terminer que les coupures du Quotidien de Paris qui révélait que Tania Maximova préparait « La vie de Jeanne d'Arc », une chorégraphie de Martha Graham, et qu'ensuite elle partirait pour les Etats-Unis, afin de poursuivre sa carrière avec la Compagnie de Sergio Marini. Par la même occasion, elle effectuerait ses grands débuts devant les caméras de télévision. « Tout cela — avouait la danseuse sous la plume du journaliste — non pas pour une poignée de dollars, mais pour avoir plus de cent mille dollars au soleil ! »

« Voilà au moins une fille qui sait ce qu'elle veut ! », pensa Massillon avant d'éteindre sa lampe de chevet. Dans ses rêves, il vit l'étoile évoluer sur une scène, puis danser sur des toits. Son visage n'était pas gracieux mais torturé. Un moment, elle se jeta dans un brasier où flambaient des billets de banque.

Massillon se réveilla en sursaut. Il se leva pour boire un grand verre d'eau et croquer une pomme. C'est seulement tard dans la nuit qu'il put retrouver le sommeil. Le lendemain, au réveil, il éprouvait comme un malaise. Une angoisse qu'il ne parvenait pas à s'expliquer, comme si ses jours étaient de nouveau en danger. Il se garda bien de montrer quoi que ce soit à sa petite-fille qui, tout en continuant ses répétitions à l'Opéra, prenait toujours sur son temps pour l'accompagner à Garches auprès de sa grand-mère qui l'avait élevée à la mort de sa mère. Son père ayant rapidement refait sa vie au Canada, c'est auprès de ses grands-parents qu'Aurélie avait trouvé affection et sécurité.

Ils ne s'attardèrent pas au chevet de Lucie. De retour à l'hôtel, il fixa le micro de son petit magnétophone au téléphone et il composa le numéro de l'Opéra.

Quand il obtint le standard, il demanda à parler à Mlle Tania Maximova, de la part d'un journaliste du Figaro.

— Vous avez de la chance, lui fut-il répondu. Elle n'a pas encore commencé la répétition avec M. Oustrine. Sinon, il aurait été impossible de l'interrompre pendant le travail.

— Je comprends.

Massillon plaça alors un mouchoir sur le combiné, et changeant sa voix, il annonça à son interlocutrice :

— Pardonnez-moi de vous déranger. Ici, c'est la rubrique « Spectacles » du Figaro. Je souhaiterais avoir un renseignement ou une confirmation. A quelle date pensez-vous quitter la France pour les Etats-Unis ?

Tania parut surprise.

— Mais j'ai déjà répondu à ces questions lors d'une interview avec l'un de ces journalistes. Je n'ai pas le temps de vous parler longtemps. Si c'est pour un nouveau reportage, venez me voir à l'Opéra. J'y travaille tous les jours. En un mot, je vous confirme mon engagement avec les ballets de New York à partir de février. Et le film commencera, je crois en avril ou mai. Voilà.

— Je vous remercie Mademoiselle. Je vous rappellerai pour prendre rendez-vous.

Massillon raccrocha et remonta la bande du magnétophone. Il l'écouta posément. Mais, dès les premières secondes, il constata que cette voix correspondait exactement à celle qui était gravée sur la bande remise par le responsable des écoutes, Bernard Lantier. Tania et l'interlocutrice d'Eric de Marcignac n'étaient qu'une seule et unique personne.

Il alluma une Gitane pour se donner quelques

97

minutes de réflexion. Puis, quand il eut bien pesé le pour et le contre, il décida de lancer sa bombe pour faire — comme il l'avait dit cent fois et peut-être plus au cours de son activité — sortir les loups de leur tanière. Il composa le numéro du Figaro et eut une étrange conversation avec son ami Bertie.

— Voyez, je ne vous ai pas fait attendre longtemps. Avez-vous de quoi écrire.

— Oui, bien sûr !

— Je vous propose une exclusivité qui va faire du bruit. Un coup de tonnerre même ! J'en prends la responsabilité. Etes-vous d'accord pour la publier ?

— Venant de vous, je prends tout, les yeux fermés. Et vous avez ma parole, je n'y rajouterai pas une ligne.

— Je vous fais confiance. Je vous connais. Je peux vous dire que les gars de la PJ enquêtent sur la mort de Nicole Fontange, la danseuse de l'Opéra que l'on a retrouvée dans la Seine.

— Mais on a conclu à un suicide.

— Oui, mais prématurément.

— C'est du sensationnel, ça !

— Attendez. Ce n'est pas tout. Ils sont aussi en train de commettre une erreur judiciaire.

— Vous n'y allez pas par quatre chemins !

— Ce n'est pas mon habitude ! Ils ont arrêté une pauvre gamine, une épave qui cherchait à se procurer de la drogue. Elle connaissait Nicole Fontange. Et c'est celle-ci qui lui a donné de l'argent. Les gars en ont conclu que cette paumée a poussé sa bienfaitrice dans le fleuve pour lui piquer son argent. Cela ne tient pas debout. Mais elle a signé ses aveux... Voilà où ils en sont. Je considère que cette jeune droguée ne doit pas rester en prison avec un tel chef d'accusation. Il faut la sortir de là. Et vous pouvez écrire que j'ai déjà quelques présomptions.

— Je peux écrire que vous menez personnellement votre enquête ?

— Mais absolument ! J'en ai le droit.

— Ça va faire un barouf terrible !

— J'y compte bien.

— Une chose m'étonne. Vous n'avez jamais recherché la publicité. Alors, pourquoi cet appel ?

— Vous êtes trop curieux. Vous le saurez plus tard.

— Je me procure une photo de la victime et je vous promets trois ou quatre colonnes, à la Une.

— Ça paraîtra quand ?

— Demain matin. Mais, de votre côté, vous nous réservez l'exclusivité.

— Comme d'habitude.

— Ça, c'est du boulot ! La vieille école, il n'y a que ça de vrai !

Bertie reposa le combiné sur son socle et s'installa devant sa vieille machine à écrire, une Underwood qu'il n'aurait pas changée pour tout l'or du monde. Il s'agissait d'un cadeau de Pierre Lazareff. Elle avait été récupérée à la Libération de Paris dans les bureaux de la Feldkommandantur. C'est sur elle que furent tapés les premiers papiers de la France Libre, dont le titre tenait en deux mots, mais qui voulait en dire long : Paris libéré.

Une heure après, Bertie déboulait, la cigarette aux lèvres, dans le bureau du rédacteur en chef.

— Tenez ! dit-il en posant l'article sur le bureau. Voilà de quoi faire augmenter d'un tiers le tirage du journal de demain. Vous pouvez m'accorder votre confiance. Vous avez là du béton armé !

Jacques Terrier se passa la main sur son crâne dégarni. Il jubilait.

— Formidable ! Il y a longtemps que je n'ai pas eu une copie comme celle-là. Je la garde jusqu'au moment du bouclage. Il ne faut pas prendre le risque d'une fuite pour retrouver demain l'information chez un confrère. Je propose comme titre :

« LA RÉVÉLATION DU CÉLÈBRE COMMISSAIRE MASSILLON : NICOLE FONTANGE A ÉTÉ SUICIDÉE. »

C'est bien, Bertie ! Vous continuerez à suivre cette affaire, bien sûr !

— D'accord. Mais je vous préviens, ça va coûter cher en notes de frais.

Joseph Massillon remonta à Garches de bonne heure et d'excellente humeur. Il regarda à la télévision les émissions de l'après-midi et eut la surprise de pouvoir suivre une séquence sur la danse avec l'interview de Tania Maximova, d'une autre étoile Kathleen Hillgate avec Vladimir Oustrine.

Vladimir qui, lorsqu'il se trouvait dans son milieu retrouvait énergie et jeunesse, déplorait, en tapant avec sa canne pour affirmer ses dires, la grande misère de la danse en France.

« C'est lamentable, expliquait-il. La danse de haut niveau, quand elle devient une concrétisation de l'art le plus pur, débouche directement dans une impasse. Ces étoiles, quand elles atteignent le firmament, n'ont aucun avenir. Heureusement que la Compagnie de Sergio Marini peut les accueillir.

« Je préfère évidemment le classique au répertoire contemporain. Mais je ne peux qu'encourager les étoiles à s'expatrier, puisqu'il n'y a pas d'autre solution pour elles. On retrouvera Tania vedette à Hollywood. Et Kathleen l'année prochaine, après avoir dansé " La mort du cygne ", se lancera dans une aventure sans doute passionnante, le ballet moderne. J'avoue ne pas être connaisseur dans ce domaine, mais il y a certainement une source nouvelle d'inspiration où tout reste à défricher. »

Tania et Kathleen parurent, chacune à son tour, dans des extraits filmés à l'Opéra. Elles expliquèrent, non sans intelligence et logique, qu'il fallait laisser la place aux jeunes. Elles confièrent tout de même avec une certaine dose d'émotion, que leur cœur resterait à l'Opéra, auprès de ce Maître qui avait sculpté leurs corps et leurs attitudes comme dans du bronze.

Vladimir y alla de sa larme.

Massillon observa, avec une attention soutenue, cette Tania, une femme, jugea-t-il, au double visage.

Comme beaucoup de slaves... l'expression de tendresse peut disparaître pour laisser place aussitôt à un visage dur, impénétrable. Parfois cruel.

« Qu'a-t-elle bien pu manigancer avec Eric de Marcignac? pensa-t-il. Il faut que je le découvre. Mais comment? Ce n'est pas elle qui me le racontera. Il faudra bien que je trouve un moyen pour susciter ses confidences. De toute façon, il sera intéressant de voir ses réactions quand elle aura lu l'article. »

Le lendemain, dès 7 h 30, un serveur lui apporta le plateau du petit déjeuner, avec une orange pressée, du café et des croissants encore chauds. Comme chaque matin, il déposa également un exemplaire du Figaro.

Massillon reçut le choc comme un boulet de canon. Sa photo était à la Une sur deux colonnes. Une photo pas très récente, prise le jour où il s'était rendu lui-même à l'heure légale, pour appréhender, après une longue et difficile enquête, un député célèbre, qui avait tué sa maîtresse et déguisé le crime en accident.

« Une lampe à bronzer qui tombe dans la baignoire. » Une légende élogieuse de cette photo de l'ex-commissaire, puis à côté, un article avec un renvoi en page intérieure. Rien n'y manquait. Jean Bertie connaissait son métier. Vieux routier de la plume, il avait fait monter la mayonnaise en affirmant que Massillon avait déjà une idée très précise sur l'identité de l'assassin et qu'il attendait le moment propice pour la communiquer aux fonctionnaires de la Police Judiciaire, de façon à leur rappeler que les vieilles méthodes valent bien celles plus modernes basées sur un fichier central et sur des ordinateurs.

« Il y est allé un peu fort, l'ami! », se dit l'intéressé en relisant l'article une deuxième fois. Puis il se servit une grande tasse d'un café odorant à souhait et attaqua un croissant avec un solide appétit. A l'hôtel « Elysées Marignan », comme d'ailleurs au « Baltimore », même le petit déjeuner est une fête.

Comme d'habitude, ce vendredi-là, Massillon et Aurélie prirent la route de Garches emportant des gâteaux secs et tout ce qu'il fallait pour adoucir les heures de la blessée.

Quand ils entrèrent dans la chambre, Lucie jeta à son mari un regard doux et complice.

— Eh bien Joseph ! Tu en fais de belles ! Depuis ce matin, je suis devenue la bête curieuse de l'hôpital. Toutes les infirmières, les médecins des autres services viennent me saluer. Ils disent qu'ils veulent connaître la femme de ce célèbre commissaire et ils me prient de te transmettre leurs félicitations pour ta perspicacité et ton courage.

Joignant le geste à la parole, elle saisit le Figaro qui était posé sur son lit. Et, en lui désignant l'article qui lui était consacré, elle s'exclama :

— Mon pauvre Joseph ! Dans quels draps vas-tu encore te fourrer ! Ne crois-tu pas que nous avons assez d'embêtements comme cela ?

Son mari voulut se justifier et apaiser ses craintes.

— Ce sont des histoires de journalistes ! Si tu te mets à croire ce qui est écrit dans les journaux...

— Il a bien fallu que quelqu'un renseigne l'auteur de cet article !

— L'auteur ? J'ai parlé avec lui librement au cours de notre déjeuner. Je ne pouvais pas supposer qu'il se livrerait à une telle extrapolation.

Le téléphone sonna. Aurélie décrocha et fit signe à son grand-père.

— C'est Philippe.

— Très bien. Tu me le passeras après.

Massillon se réjouissait de cet appel qui lui permettrait de connaître une réaction officielle. Mais ce n'était pas celle qu'évidemment il attendait en priorité. Celle de l'assassin qu'il traquait ! Son filleul lui expliqua que l'article avait été diversement apprécié dans les hautes sphères. Philippe voulait dire à son parrain, avec ménagement, qu'en fait, le directeur de la PJ se trouvait désormais dans ses petits souliers.

— Ne crains-tu pas que cette affaire te retombe dessus ? demanda Massillon au jeune inspecteur.

— Je ne le pense pas, puisque c'est moi qui ai procédé à l'interrogatoire de la fille. Cela dit, le juge d'instruction a réclamé un supplément d'enquête sur la jeune droguée. Il ne l'a pas inculpée, jugeant sa déposition trop floue et signée dans un état particulier. Elle a quitté la prison pour être dirigée sur l'hôpital Marmottan où elle suivra une cure de désintoxication. Bref! Tu as gagné!

— Non. Non! Ce n'est pas moi qui triomphe, c'est la Justice!

Satisfait du cours que prenaient les événements, Massillon appela l'Opéra pour annoncer à Simone Renaud cette bonne nouvelle. Il l'entendait pleurer au bout du fil.

— Ne vous lamentez pas, madame! Votre fille est presque tirée d'affaire. Et les médecins vont peut-être la guérir. Vous pouvez lui rendre visite.

— C'est de joie que je pleure, commissaire! Je vous dois tout!

— N'exagérons rien. Mais je veux bien que vous me rendiez un autre petit service. Je voudrais rencontrer Tania Maximova. Pouvez-vous agir en ce sens? Lui en parler?

— Je peux vous la passer. Elle vient d'arriver. Elle est juste à côté de moi.

— Si vous voulez.

Massillon sentit son cœur battre plus vite. « Pourvu, se disait-il qu'elle ne reconnaisse pas ma voix. »

— Allô! Tania Maximova à l'appareil.

— Joseph Massillon! Ma demande pourra vous paraître saugrenue, mais j'aimerais bien vous rencontrer.

— Ça tombe bien! Moi aussi!

— Ah! Tiens!

— J'ai lu le Figaro aujourd'hui.

— Et alors?

— J'ai été profondément choquée par la mort de Nicole Fontange. Et je vous l'avoue, comme vous je ne crois pas au suicide. Ce qui lui est arrivé pourrait se produire pour chacune de nous. Pour moi !

— Vous vous sentez menacée ?

— N'exagérons rien. Mais parfois, il est prudent de prendre ses précautions. Vous offrez l'avantage d'être policier sans être dans la Police.

— Quand pourrons-nous nous voir ? Et où ?

— Je dois travailler jusqu'à deux heures et ensuite je file chez des amis à la campagne où je passerai le week-end. Je vais à Clairefontaine, dans la vallée de Chevreuse. Voulez-vous que nous prenions rendez-vous pour lundi ?

— Parfait.

— Onze heures, au bar de l'hôtel « Baltimore ». Mais comment vous reconnaître.

— Ne vous inquiétez pas ! Vous avez un visage que l'on ne peut oublier.

— Je vous remercie du compliment. Alors, à lundi !


## CHAPITRE VII


Le week-end se passa calmement, Massillon s'octroyant une pause familiale dans ses investigations. Pour les reprendre d'une façon structurée et professionnelle, il attendait son contact au début de la semaine avec cette Tania qui lui apprendrait peut-être des choses intéressantes, d'autant plus passionnantes qu'au téléphone, sans avoir réellement demandé une protection, elle avait tout de même semblé vouloir protéger ses arrières.

Le dimanche, la XM refusa catégoriquement de partir. Il l'abandonna dans le parking souterrain des Champs-Elysées où il avait l'habitude de la garer. Il demanda à la station de le dépanner. Sans doute la batterie. Massillon ragea, considérant qu'avec des voitures de ce prix, les pannes ne devraient pas exister. Il se rendit donc à l'hôpital en taxi.

Le lundi matin, il retourna au parking pour récupérer sa voiture, mais il la découvrit entièrement disloquée. Le capot, arraché, était déposé sur le sol, complètement déchiqueté. La calandre était tordue comme à la suite d'un choc contre un mur ou un arbre.

Le gérant de la station lui expliqua que la voiture avait explosé au moment où le mécanicien avait actionné le démarreur pour essayer la nouvelle batterie. L'infortuné ouvrier avait été transporté à l'hôpital.

Massillon entra dans une colère froide.

« Ce pauvre garçon trinque à ma place », se disait-il. « C'est intolérable. Après ma femme, c'est la deuxième victime. Mais jusqu'où ce fou va-t-il aller ? »

Un gardien de la Paix expliqua que les spécialistes du déminage n'allaient pas tarder à arriver sur les lieux. Ils furent là à peine dix minutes plus tard. Massillon se fit connaître et les laissa entrer en action avec leurs pinceaux, leurs fioles et leurs éprouvettes pour déterminer les causes de la déflagration.

— Coup classique, déclara l'un d'eux. On a placé une charge d'explosif sous le capot avec le détonateur branché sur le démarreur. Mais je ne peux pas dire que nous nous trouvons en face d'un explosif type TNT ou de ce genre, car il n'y aurait plus de XM, plus de voiture et plus de chauffeur.

Il releva de la poudre sur les parois et poursuivit :

— Il faudra analyser cela en laboratoire, mais je parierais fort qu'il s'agit là de poudre qui sert pour les cartouches de chasse. J'ai vu déjà plusieurs fois ce procédé. On récupère cette fameuse poudre et on en bourre le bloc cylindre par le trou des bougies. On replace ces dernières. Avec l'essence qui arrive, quand on donne un coup de démarreur, tout saute. Si la voiture avait eu plus de compression, l'effet aurait été encore plus grand et le chauffeur aurait eu bien peu de chance de s'en tirer...

Quand ils eurent terminé, Massillon invita ses anciens collègues à l'accompagner au bar de son hôtel. Ayant échappé à la mort, il fit servir une bouteille de champagne — un Taittinger brut millésimé — et il se promit d'en faire livrer une caisse au petit garagiste quand son état de santé lui permettrait de la vider.

— Il s'agit quand même d'une technique de sabotage peut-être rudimentaire mais que le commun des mortels ignore ! jugea Massillon.

— Elle offre, expliqua l'artificier, l'énorme avantage pour celui qui l'utilise, de pouvoir très rapidement monter son affaire. Les cartouches de chasse sont en vente libre ! On peut se les procurer chez le premier armurier venu. Et comme tout matériel, une clef à bougies suffit. Avez-vous une idée de la personne qui a pu attenter à votre vie ?

Massillon jugea préférable de ne pas dévoiler ses batteries.

— Non. Absolument aucune. On peut penser qu'il s'agit d'un déséquilibré qui frappe au hasard... Ou bien un délinquant qui a purgé une longue peine par mes soins et qui cherche à se venger. C'est une deuxième hypothèse. Il y en a d'autres. Mais je ne veux pas les formuler pour le moment.

— Si vous pensez que votre vie est menacée, nous pourrons vous accorder une protection.

Massillon répondit sur un ton très sec :

— J'ai toujours refusé cela lorsque j'étais en activité. Ce n'est pas maintenant que je suis en retraite que je vais accepter de me faire protéger. Ce sont les risques du métier. Et il n'y a pas à y revenir. Je ne me vois vraiment pas vivre avec un agent en faction devant ma porte ou un inspecteur qui me suivrait pendant tous mes déplacements.

La matinée était déjà avancée. Dubois ne retint pas davantage ses anciens collègues, et il profita de leur voiture pour se faire déposer au Baltimore, avenue Kléber. Il y arriva avec une dizaine de minutes de retard sur l'heure du rendez-vous avec la danseuse étoile. Il inspecta le bar, cherchant à reconnaître la silhouette élancée de la vedette. Puis il s'installa à une table, face à la porte afin de pouvoir l'accueillir. Il commanda une coupe de champagne brut et se mit à réfléchir sur la façon la plus efficace de susciter les confidences. La laisserait-il d'abord parler ? Lui montrerait-il qu'il était au courant de sa liaison avec Marcignac. Lui demanderait-il tout de go pourquoi son ancien amant changeait de nom en sa compagnie à « l'Auberge de la Forêt » ?

« J'ai l'impression, se dit-il enfin, que l'entretien que nous aurons prendra plus les formes d'un interrogatoire que d'une aimable conversation. »

Au bout d'une demi-heure d'attente, il se sentit devenir nerveux.

« Avec ces artistes qui veulent jouer les stars, il ne faut pas espérer qu'elles respecteront des rendez-vous ! L'exactitude ne semble pas être la politesse des étoiles ! »

Le barman avait réglé la radio sur France Info. Un titre de l'actualité fit dresser l'oreille au commissaire Massillon.

« L'ETOILE DE L'OPERA TANIA MAXIMOVA A TROUVE LA MORT DANS UN ACCIDENT DE LA ROUTE. »

Il sentit son sang se glacer et se leva pour demander au barman d'augmenter le volume du transistor.

Le journaliste expliquait :

« La voiture de la danseuse a percuté un arbre dans la forêt et a pris feu immédiatement. Selon les premiers éléments de l'enquête menée par la Gendarmerie de Rambouillet, il semble que l'artiste n'ait pas pu dégrafer sa ceinture de sécurité. Elle a été brûlée vive, prisonnière de son siège. Tania Maximova était allée passer le week-end chez des amis à Clairefontaine. Le dimanche, au début de la soirée, après avoir reçu un coup de téléphone, elle était partie vers le village.

Et c'est à son retour vers Paris, par la forêt de Rambouillet, que, vers 21 heures et pour une raison inconnue, elle avait dû perdre le contrôle de son véhicule.

« Les gendarmes qui ont effectué le constat se posent tout de même une question. L'examen de la carrosserie montre que le choc n'a pas dû être violent. Ils en déduisent que la ceinture de sécurité devait être défectueuse. A moins que la conductrice n'ait été assommée. Il sera difficile d'établir les circonstances de ce drame car la voiture et sa passagère étaient presque entièrement carbonisées lorsque les premiers secours sont intervenus. Un témoin a raconté que la chaleur était telle qu'il était impossible d'approcher du brasier. Ce sont les pompiers de Rambouillet qui ont noyé la carcasse sous la neige carbonique. Mais hélas ! plus rien ne pouvait être tenté pour la malheureuse danseuse. »

Massillon resta un long moment plongé dans ses pensées. Il était incapable de régler sa consommation, d'en commander une nouvelle, ou de partir. Il se demandait quel sort funeste s'acharnait sur les gens autour de lui. Il se refusait pourtant à admettre qu'il se trouvait au centre d'une machination.

« Je ne dois pas me laisser abuser par les apparences. »

Comme dans les situations très graves, Massillon devenait d'un calme olympien. Faisant abstraction de ses réactions affectives et viscérales, il raisonnait froidement avec une lucidité et une logique déconcertantes.

« Il y a trois solutions, se dit-il. La première : il s'agit effectivement d'un accident toujours possible. La deuxième : on a supprimé Tania Maximova pour un motif que j'ignore encore. La troisième : Tania a confié à son assassin qu'elle allait me rencontrer. Elle a été tuée pour qu'elle se taise. Si je retiens, ne serait-ce que provisoirement, cette dernière éventualité, cela signifie que le criminel se sent traqué et qu'il mord pour se protéger. Il a essayé de m'éliminer une fois sur l'autoroute, une deuxième fois ce matin et il frappe ceux auxquels je m'adresse et qui pourraient me permettre de me rapprocher de lui. Dans ce cas, je suis peut-être, malgré moi, mais sans se masquer la vérité, responsable de la blessure de ma femme et de celle du mécano, mais aussi de la mort de cette danseuse. Elle ne connaîtra jamais la gloire américaine, ni la consécration d'Hollywood.

De toute façon, il me faudra vérifier ces trois hypothèses. Deuxième domaine de réflexion : que dois-je faire ? M'abstenir de toute action ? Ou contre-attaquer ? »

Depuis un moment le barman se tenait devant lui. Machinalement, Massillon commanda un scotch sans glace qu'il vida d'un trait. L'alcool lui rosit les pommettes.

« Je n'ai pas le choix, se dit-il. Il me faut continuer car, dans cette affaire, j'ai atteint le point de non-retour. De toute façon, comme l'affirmait Napoléon : Il faut poursuivre dans son erreur, cela donne raison. Ce serait de la faiblesse ou de la lâcheté de laisser dans l'impunité un personnage aussi abject. Il existe, bien sûr, la Justice divine, mais pour le moment, je préfère celle des hommes. Quand elle est appliquée sans laxisme et avec vigueur. Avec rigueur. »

Et il en arriva à la conclusion :

« Pour protéger les autres, je dois m'exposer davantage. »

Et, pour passer aux actes, il téléphona à son ami Bertie.

— Salut ! C'est encore moi ! Massillon.

— Commissaire ! ça me fait plaisir de vous entendre. Notre papier suscite de sacrées polémiques. Ça me plaît.

— Eh bien, on va les alimenter.

— Vous avez matière à donner une suite ?

— Vous en jugerez par vous-même. Vous avez appris la mort de Tania Maximova ?

— Pour cause. On m'a rappelé cette nuit. Je suis d'ailleurs en train de rédiger sa nécro.

— J'avais rendez-vous avec elle ce matin, à l'endroit

où je me trouve actuellement, à savoir le « Baltimore ».

— Très intéressant ! Pourquoi désiriez-vous la rencontrer ?

— Trop tôt pour vous le dire. Mais je demande s'il n'y a pas une corrélation entre les morts de ces deux danseuses. Inutile d'ailleurs d'en parler maintenant. Le temps joue pour nous. Et puis, puisque cela vous plaît d'être mon historiographe, sachez aussi que j'ai été, ce matin, victime d'un attentat. On a fait sauter ma voiture dans le parking des Champs-Elysées où je me gare habituellement. Je suis indemne, car hélas ! c'est un petit mécano à qui j'avais demandé de regarder la batterie, qui a trinqué pour moi. Le gosse a été transporté à l'hôpital dans un sale état. Ses jours ne sont pas en danger, heureusement ! mais ses jambes ont été sérieusement touchées.

— Vous m'autorisez à publier ces informations ?

— Pourquoi croyez-vous que je vous appelle ? Mon but est de paniquer l'assassin pour qu'il commette un faux pas. Je veux le faire craquer. Si on ne le traque pas, si sa conscience le laisse en paix, il risque de couler encore longtemps des jours paisibles. Et cette perspective m'est intolérable.

— Comptez sur moi.

— Inutile d'en remettre à mon sujet. Je ne fais que mon métier.

Par gentillesse, Bertie se refusa à lui rappeler qu'il était en retraite.

Les résultats de cette nouvelle offensive ne tardèrent pas. Le matin même de la parution, le concierge de l'hôtel prévenait Massillon que François Journet était à la réception, et souhaitait le rencontrer. Le commissaire s'apprêta en hâte pour ne pas faire attendre le directeur de la Police Judiciaire.

— Je passais dans le quartier. J'ai tenu à prendre de vos nouvelles, mon cher Massillon.

— C'est fort aimable à vous.

Quand les deux hommes furent installés dans le

salon, et devant une certaine gêne qu'il devinait chez le directeur, Massillon le mit à l'aise :

— Votre démarche est difficile, n'est-ce pas, cher monsieur Journet ? Car il s'agit bien de cela ? Comme vous pouvez vous en douter, je ne crois pas à une visite inopinée. Qu'avez-vous à me dire ? Ou à me transmettre ?

— Mon cher Massillon, j'ai une bonne nouvelle pour vous. Votre nomination à l'Ordre de la Légion d'Honneur est imminente. Je tiens cette nouvelle du ministre de l'Intérieur lui-même. C'est pourquoi je voulais vous demander de ne pas compromettre l'attribution de cette haute distinction par des actions inconsidérées de votre part. Et puis, il y va aussi de votre propre sécurité. Et de celle de vos proches. Vous croyez que cela ne suffit pas ? Votre femme. Ce garagiste... Rien ne prouve qu'il s'agit d'attentats et que l'on cherche à vous nuire personnellement. Mais, vous en conviendrez, il vaut mieux être prudent. Et puis, vous allez peut-être vite en besogne en affirmant que les deux étoiles de l'Opéra ont été assassinées. Pour Nicole Fontange, tout laisse à penser qu'il s'agit d'un suicide. Encore que la jeune droguée ne nous a peut-être pas livré tout ce qu'elle sait. Mais pour Tania Maximova, pourquoi ne voulez-vous pas admettre la thèse, tout à fait logique, de l'accident ? Ce ne sera ni le premier, ni le dernier, de ce genre. Souvenez-vous de cette artiste célèbre du cinéma à qui cela est arrivé... Sa sœur, vedette elle-même pourrait en témoigner. Croyez-moi, cher ami, laissez la police faire son boulot. Vous savez, comme moi, que nos polices fonctionnent parfaitement bien. Si crimes il y a eu, nous mettrons la main sur leurs auteurs.

— Monsieur Journet, je suis très sensible à votre visite. Néanmoins, je veux vous faire très respectueusement remarquer que j'agis en simple citoyen. Je ne ferai pas justice moi-même. J'ai confiance en celle de mon pays. Mais ma femme et un mécanicien se trouvent dans un lit d'hôpital. Et elle comme lui ont miraculeusement échappé à la mort. J'ai été mêlé à une affaire malgré moi. Ce serait de la lâcheté vis-à-vis de moi-même si je ne cherchais pas à comprendre. Mais rassurez-vous, je ne tiens pas à mettre la Maison dans l'embarras. J'y ai trop de souvenirs. J'y suis trop attaché. Si je parviens à démêler avant vous les écheveaux de cette intrigue, je vous le ferai savoir autrement que par la voix de la presse et vos services en récolteront les fruits. Je vous assure que je ne recherche ni la gloire ni les honneurs. Maintenant, un dernier mot. Si je devais échanger la rosette de la Légion d'Honneur contre ma neutralisation, j'aurais la désagréable impression de porter la Légion du déshonneur. Alors, vous pouvez transmettre que l'on peut remettre la décoration à quelqu'un d'autre, celle qui m'était destinée ! Je pense qu'il y a beaucoup de monde sur les rangs !

Le directeur de la PJ s'aperçut que sa demande se soldait par un échec. Il ne se faisait d'ailleurs aucune illusion. Il connaissait Massillon pour son côté entêté. Entier. Scrupuleusement honnête. Qui ne transige pas et n'accepte pas les compromis. Au fond, c'était pour toutes ces raisons qu'il éprouvait pour lui la plus grande estime. Mais il fallait bien qu'il obéisse aux consignes de la Place Beauvau.

Le courrier distribué l'après-midi lui apporta une autre surprise sous la forme d'une lettre dont l'adresse était tapée à la machine mais pas très bien disposée sur l'enveloppe. Trop mince pour être piégée. En l'ouvrant, il eut comme un pressentiment.

Avec des lettres découpées dans les journaux, de caractères différents, une simple phrase mais qui voulait en dire long :

MELEZ-VOUS DE VOS AFFAIRES
SINON...
DERNIER AVERTISSEMENT

Il glissa cette lettre anonyme dans son portefeuille. Un moment, il pensa avertir Journet, pour lui prouver qu'une tierce personne agissait dans l'ombre et se trouvait dérangée par ses initiatives. Il s'abstint car la preuve étant devenue évidente, la PJ ne manquerait pas, officiellement cette fois, d'ouvrir une enquête et, de ce fait, il ne pourrait pas agir comme il l'entendait.

Il se contenta de conclure :

— Voilà une affaire qui tourne. Mon bonhomme — ou ma bonne femme sait-on jamais ! — mord à l'hameçon et, à mon avis, il vient là de commettre sa première imprudence.

## CHAPITRE VIII

La loge occupée à l'Opéra par Kathleen Hillgate, au deuxième étage, au bout du couloir à droite, sentait le parfum et l'embrocation, mélange curieux d'odeurs qui évoquait la féminité et le sport.

Pour mettre en valeur ses yeux bleus, la danseuse avait adopté la couleur rose. Tout était rose autour d'elle. Le sofa, les coussins, ses sacs, et même le miroir rapporté de Venise. Grande, mince, de type nordique, Kathleen se voulait une fille simple et sans problème. D'un caractère enjoué, elle laissait toujours éclater sa joie autour d'elle.

« Du moment que je danse, disait-elle, le reste n'a aucune espèce d'importance. Qui plus est, que je danse n'importe quoi ! »

C'est pourquoi, quand elle était à Paris, il n'était pas rare de rencontrer l'étoile chez « Régine » ou au « King Club », évoluant sur la piste en jean's, au rythme cubo-africain. Qui aurait pu se douter que, dans l'après-midi, cette jeune femme très dans le vent, très moderne, se livrait à de savantes arabesques sur une musique de Tchaïkovski ou de Bizet ? Ce n'était pas une fille fragile. Sachant dédramatiser les situations, ne jalousant personne, et n'ayant pas l'ambition — malgré son immense talent — de devenir étoile numéro un, elle ne gênait personne. Aussi quand les danseuses perdaient le moral, ce qui était fréquent, elles venaient auprès d'elle, sachant qu'elles trouveraient toujours la compréhension et la gaieté. Elle aimait la vie pour la vie, avec tout ce que cela comportait.

La mort de Nicole Fontange l'avait touchée, bien sûr, puisqu'elle la connaissait bien. Mais la disparition de Tania l'affectait beaucoup plus profondément car leurs carrières s'étaient poursuivies parallèlement. Pendant de longues années, au début, elles partageaient le même vestiaire, puis plus tard, la même loge. Elles accédèrent en même temps au rang d'étoile. Ayant sur l'existence des conceptions à peu près semblables, elles aimaient converser entre elles et elles riaient beaucoup de leurs vieux admirateurs qui leur adressaient des gerbes de fleurs et des télégrammes dithyrambiques.

Kathleen était présente à l'église orthodoxe de la rue Daru au service religieux de Tania Maximova. Elle réussit, avec beaucoup de peine, à maîtriser son émotion et une crise nerveuse quand le fourgon partit en direction de Fourmies, dans le Nord, où le corps de la danseuse devait être inhumé dans la plus stricte intimité. Ne sachant où se réfugier dans ces instants de bouleversement intérieur c'est encore à l'Opéra, au milieu des siens, qu'elle pensa trouver le réconfort. On se succédait dans sa loge pour parler de ces deux tragiques accidents qui, en si peu de temps, venaient d'endeuiller le monde de la danse.

Alex Verovich, revenu de Zagreb déçu de n'avoir pas trouvé tout ce qu'il en attendait, fit une réflexion malheureuse :

— C'est la loi des séries.

Et, fixant sur Kathleen un regard étrange, avec un fond de sadisme dans la voix, il ajouta :

— Jamais deux sans trois.

Choquée nerveusement, l'étoile craqua. Elle éclata en sanglots.

Vladimir, son ancien maître de ballet, qui lui avait tout appris ou presque avant qu'elle ne parte pour le Covent Garden, entrait au même moment. Ayant tout entendu de l'autre côté de la porte, il s'adressa d'abord, sur un ton glacial et réprobateur, au violoniste yougoslave :

— Ce n'est pas très intelligent !

Puis il se pencha sur Kathleen pour la calmer.

— Laissez-nous, dit-il aux autres.

Kathleen sécha ses larmes, et fixant bien son maître de ballet pour le convaincre :

— Et si Alex avait raison ? Jamais deux sans trois ! C'est un proverbe qui a déjà fait ses preuves. Vladimir, j'ai peur, terriblement peur !

— Mais peur de quoi, mon enfant ?

— De subir le même sort.

— Mais c'est insensé ! Tes nerfs ont été mis à rude épreuve. Les miens aussi. Mais il ne faut pas tomber dans la superstition.

— Et si Nicole et Tania avaient été assassinées ?

— Par qui mon Dieu ? Je connaissais à peu près tout de leur vie. Je ne vois vraiment pas qui pouvait leur en vouloir au point de les supprimer.

— Et si nous nous trouvions en présence d'un fou ?

— Non ! A exclure. Il s'y serait pris autrement. Je ne sais, étranglées, poignardées, et... sans doute violées.

— Pas un fou à lier. Mais un maniaque. Il en existe qui ne tuent pas seulement pour une sexualité refoulée. Un maniaque plus subtil.

— Je n'avais pas pensé à cela. Mais ton idée me paraît tellement saugrenue...

— Elle l'est peut-être, mais elle ne me quitte pas l'esprit depuis la mort de Tania. Il faut faire quelque chose. Je ne me sens plus en sécurité nulle part.

— Pour le moment, tu es sous le choc. Il faut laisser passer un peu de temps et tout ira mieux. Tu dois danser « Cléopâtre » devant les caméras de télévision.

Nous avons du pain sur la planche. De quoi occuper tes journées. En dehors d'ici, où tu ne risques rien, vois tes amis. Ainsi tu te sentiras protégée.

— Je voudrais déjà être à Orange. Je crois que là-bas, je serai plus en sécurité. Je ne vais pas vivre d'ici là.

— Veux-tu que nous engagions un garde du corps ? Cela ne servira à rien, mais sa présence pourra te rassurer.

— Merci, Vladimir. Je crois que c'est une bonne idée.

— Mais il faut que sa présence passe inaperçue. Il ne s'agit pas que la presse l'apprenne par une indiscrétion. Et cela pour deux raisons. Ce ne serait pas bon pour ton image de marque, et si le fameux maniaque dont tu parles — et auquel je ne crois pas — existe, se sentant provoqué, il risque de se piquer au jeu et d'agir, même s'il n'en avait pas eu l'intention. Et puis, pardon de te dire cela ma chérie, mais il ne faut pas être mégalomane à ce point. Tu as une valeur indéniable, certes, mais tu ne restes pas la seule danseuse. Pourquoi le tueur — si tueur il y a — s'en prendrait-il à toi plutôt qu'à une autre ? Ou vous n'êtes pas menacées individuellement, on vous l'êtes toutes. Mais pas plus l'une que l'autre.

— Votre analyse est logique et pleine de sagesse. Mais, que faire ?

— J'ai peut-être une bonne idée. Tu me diras ce que tu en penses. Si tu la trouves mauvaise ou ridicule, nous n'en parlerons plus. J'ai rencontré le commissaire Massillon à deux reprises. C'est un homme solide, plein de bon sens, et qui m'a laissé une excellente impression. Sa carrière, je crois, a été prestigieuse. Et j'ai lu dans les journaux des articles le concernant, au sujet de Nicole. Il devait, paraît-il, rencontrer Tania. Pourquoi ne pas le voir et lui exposer tes craintes ? Ce policier est compétent. Il nous indiquera sans doute la conduite à tenir. Et je crois surtout qu'il te rassurera.

— Oui. Je pense que cette suggestion est à retenir.

Après lui avoir parlé, je serai plus tranquille. Mais il me trouvera peut-être ridicule.

— Je ne pense pas. Et après ?

— Nous n'avons pas son adresse. Où le joindre ?

— Ce n'est pas un problème. Nous le trouverons.

Leur conversation fut interrompue par la sonnerie du téléphone. La standardiste cherchait Vladimir pour lui passer une communication très importante, d'après les dires de l'auteur de l'appel. Le maître de ballet connaissait Jean Bertie pour ses critiques parfois sévères sur l'art lyrique. Il se souvint de l'avoir rencontré plusieurs fois à des cocktails ou des réceptions au Palais Garnier. Quand il l'eut au bout du fil, il s'attendait à être interviewé pour Le Figaro sur la saison et plus particulièrement sur « Cléopâtre » nouvelle version qui, dans le cadre naturel et grandiose du théâtre antique d'Orange, serait diffusé en direct et en mondovision. Ce qui lui apporterait la consécration internationale à la fin de sa longue carrière. Ce qui, en outre, avait permis à son étoile de tripler le montant du contrat qui allait la lier pour trois ans à la compagnie américaine de Sergio Marini, à New York. Il fut un instant interloqué quand le journaliste lui parla de... Massillon.

— Que pensez-vous des révélations du célèbre commissaire ?

Cette question, directe et inattendue, lui causa une gêne qui fit attendre sa réponse. D'autant plus que ses propos ne s'inscriraient pas dans le cadre d'une aimable conversation, mais qu'ils seraient reproduits in extenso et ne manqueraient pas de provoquer des remous, tant dans le large public ouvert à la danse que dans les hautes sphères dirigeantes de l'Opéra. Voire même au ministère de la Culture dont certains fonctionnaires finissaient par se demander si la disparition des deux étoiles n'était pas l'œuvre sinistre de quelque Brigade Révolutionnaire inconnue mais puissante, qui, s'en prenant aux danseuses, voulait attaquer les classes privilégiées de la société, que l'on a coutume de retrouver les soirs de galas dans les premiers rangs de l'orchestre.

Bien que d'origine slave, Vladimir Oustrine préféra s'en tenir à une réponse de Normand.

— Rien ne prouve, dit-il, qu'il y ait un lien quelconque entre les morts tragiques de nos deux étoiles. Hélas ! les accidents de la route n'arrivent pas qu'aux autres. Quant à la noyade de Nicole, il faut se souvenir que cette jeune personne a été d'un tempérament cyclique et souvent en proie à de fortes crises de dépression et de désespoir. Ce n'est pas trahir sa mémoire que de rappeler qu'elle a tout de même subi une psychanalyse pendant plus de quatre ans. Voilà pour les faits. Maintenant, reste la personnalité, le flair, le sixième sens du commissaire Massillon dont, en son temps, j'ai suivi, comme tout un chacun, les exploits et les résultats extraordinaires. Il est à la retraite, et n'a aucun intérêt à créer l'événement ou à lancer des ballons pour quêter les réactions de ses anciens collègues. Alors, s'il pense que ces morts ne sont pas naturelles, il a bien ses raisons...

— Maître, croyez-vous aux hypothèses qu'il avance ?

— Je vis à l'Opéra. Je pense être bien placé pour avoir une opinion. Alors, par mon intime conviction, je dis : Non ! Mais à chacun son métier. Et Massillon est un artiste dans son genre. Je suis tenté de lui faire confiance et je me range à son avis. Mais sans y croire. Et en espérant, ô combien ! qu'un jour il aura la preuve de son erreur de jugement.

Il faut voir les choses en face. Nicole et Tania ne faisaient pas de politique. Leur vie était transparente et elles ne gênaient personne.

— Accepteriez-vous d'aider le commissaire dans sa recherche de la vérité ?

— Sans aucun doute. Mon aide lui est acquise. Et sans limites. Je le lui ai d'ailleurs affirmé quand il est venu me voir. Il peut me demander quoi que ce soit. Et j'ai l'intention de le rencontrer très vite, pour fixer les idées et resituer ces drames dans leurs contextes respectifs. Peut-être y a-t-il des éléments qui ne nous paraissent pas importants mais qui pourraient aider à trouver la clef de cette énigme.

— Quoi par exemple ?

— Je ne répondrai pas à cette question. Inutile de mettre sur la place publique des informations qui intéresseraient peut-être le commissaire. Inutile de les dévoiler aux assassins. Si tant est qu'ils existent !

Vladimir raccrocha et resta pensif. Il expliqua :

— Je suis contrarié ! Cette publicité tapageuse autour de notre vieille Maison ! De notre Art ! Mais il est de notre devoir à tous de collaborer avec Massillon dans sa recherche de la vérité.

Le lendemain, après la parution de l'article — une nouvelle bombe — Vladimir fut assailli d'appels de gens le félicitant pour sa prise de position courageuse et qui lui offraient spontanément de se mettre à sa disposition, pour l'aider. D'autres affirmaient péremptoirement connaître les meurtriers. Une femme dénonça sa concierge, une autre son beau-père. Enfin, un homme se disant détenteur de secrets d'Etat, jura que les meurtres étaient le fait d'agents du KGB.

Lassé, le maître de ballet finit par ne plus répondre, disant à son entourage :

— Je ne pensais pas qu'il y eut autant de fous, de détraqués en liberté !


Comme chaque jour, à treize heures, la serveuse du « Stella », un café-restaurant situé dans une toute petite rue donnant sur les Grands Boulevards, apporta le plateau pour Vladimir qui avait pris l'habitude de déjeuner dans sa loge. Il préférait cette formule aux bousculades enfumées et archi-combles aux heures de pointe, où la vue des assiettes avec leurs reliefs des repas lui coupait l'appétit.

Il se faisait servir presque chaque jour des crudités avec du jambon blanc et des pommes vapeur. Un fromage. Un fruit. Et un café. Un déjeuner simple et sain qu'il appréciait plus que les plats en sauce qui

alourdissent et engourdissent pour le reste de l'après-
midi.

L'un des nombreux chats qui hantaient les couloirs et
les combles de l'Opéra, dormait en boule sur un
fauteuil, près du radiateur. Tout en parlant avec
Kathleen et un administrateur, Vladimir commença à
manger les pommes de terre, déjà refroidies par le
transport. Réveillé par la bonne odeur, le minet s'étira.
Vladimir lui tendit, du bout de sa fourchette, la fine
tranche de gras qui entourait le jambon. Le chat la
saisit délicatement avec sa patte et commença à la
croquer.

Kathleen fut la première à s'apercevoir de son
comportement bizarre. Il faisait le gros dos. Puis se
détentit, comme sous l'effet d'une décharge électrique
et retomba, foudroyé sur le tapis, une écume blanche
au coin des lèvres.

— Mais il a une crise d'épilepsie ! s'exclama Vladimir. Il faut faire quelque chose.

Le chat ne bougeait plus. Alex Vérovich, arrivé
quelques minutes auparavant, se pencha pour l'examiner.

— Il est mort, votre greffier. Vous pouvez appeler
les Pompes Funèbres !

Et, dédaigneux, il sortit.

Simone Renaud suggéra :

— Maître, je vous ai vu lui donner un peu de votre
jambon. Ne croyez-vous pas que nous devrions appeler
la police ?

— On a peut-être cherché à vous empoisonner !
reprit Kathleen en blêmissant.

Vladimir se montra véhément :

— Vous tenez absolument à ce que je me couvre de
ridicule ? Ce pauvre chat a peut-être quinze ans. Il me
semble l'avoir toujours connu. Je vais déranger la
Police en lui racontant une histoire invraisemblable
parce que cet animal meurt de sa belle mort. Vous n'y
pensez pas !

— Et si, comme le dit Kathleen, on avait vraiment tenté de vous empoisonner ?

— Ma chère Simone, vous êtes choquée, et je le comprends ! Après les événements de ces dernières semaines ! Mais qui voulez-vous qui cherche à me supprimer ? Et comment mon assassin s'y serait pris ? Il n'est entré dans cette pièce aucune personne étrangère à l'Opéra. Et au café, qui, à part la serveuse, pouvait savoir quel plateau m'était destiné ? D'ailleurs, pour vous prouver que vous avez tort, je vais manger ce jambon.

Simone intervint.

— Vous ne prendrez pas un risque aussi stupide. Mettons ce jambon dans un papier, dans un sac, et nous le donnerons au commissaire Massillon. Il aura bien le moyen de le faire analyser. Ensuite, il sera toujours temps d'agir. Mais je vous en prie, Maître, ne touchez pas à ce jambon suspect.

Kathleen approuva Simone qui ajouta :

— Je vais aller téléphoner au commissaire. J'ai son numéro. Je lui demanderai de venir nous retrouver.

— Soit ! J'accepte cette solution, déclara Vladimir en commençant à boire son café.

Kathleen poussa un cri :

— Et s'il y avait aussi du poison dans la tasse ! Maître... Mon Dieu ! Comment vous sentez-vous ?

— Apparemment, je n'ai pas encore un pied dans la tombe. Tout va bien. J'ai bien eu envie de faire semblant de tourner de l'œil. Mais vu les circonstances, j'ai repoussé l'idée de cette sinistre plaisanterie.

— Je vais vous chercher un autre café, déclara Simone. De toute façon, celui-ci est maintenant trop refroidi.

Elle profita de l'occasion pour téléphoner au commissaire qu'elle eut la chance de trouver chez lui.

Il la félicita pour son réflexe d'avoir gardé le jambon et promit de passer dans l'après-midi. Effectivement, moins d'une heure après il se présenta à l'entrée de service où Simone Renaud vint le chercher pour le conduire auprès du maître de ballet et de Kathleen.

Il écouta attentivement ses interlocuteurs sans poser la moindre question. Il voulait, avant tout, s'imprégner de l'ambiance de l'Opéra. De l'atmosphère si particulière de ce milieu de la Danse, où le Monde paraît tourner autour d'une arabesque et où les moindres péripéties prennent le pas sur les événements qui agitent notre planète.

Après les avoir remerciés d'avoir fait appel à lui, et de leur confiance, il posa le préambule :

— Nous devons toujours être vigilants vis-à-vis de nous-mêmes et ne jamais nous laisser emporter par l'imagination. Vous me proposez aimablement, mademoiselle, d'assurer votre sécurité. Je suis très flatté. Mais rien ne prouve que vous êtes réellement en danger. Je pourrai vous donner quelques conseils de prudence. Voilà la liste des questions que je me pose :

Premièrement : Nicole Fontange s'est-elle suicidée ? S'agit-il d'un accident ou a-t-elle été poussée dans la Seine ?

Deuxièmement : La personne qui a tiré sur ma voiture cherchait-elle à me tuer ou a-t-elle simplement choisi une victime au hasard ? Dans le premier cas de figure, la tentative d'homicide volontaire sur ma personne a-t-elle un lien avec le fait que je m'intéresse au destin tragique de Nicole Fontange ?

Troisièmement : Celui qui a piégé mon véhicule dans le parking est-il le même que celui qui s'est servi du revolver ?

Quatrièmement : La mort de Tania Maximova a-t-elle un rapport — et si oui lequel ? — avec celle de Nicole Fontange ?

Cinquièmement : Si oui, s'agit-il du même assassin ? Dans ce cas, quels sont ses mobiles ?

Enfin, sixièmement : La boucle est-elle bouclée ? Ou bien le meurtrier s'est-il déjà désigné une autre victime ?

Enfin, j'ajoute un septièmement rapidement, mais il

est strictement personnel. Ce criminel cherchera-t-il de nouveau à me tuer ? Voyez que nous ne sommes pas au bout de nos peines. Je peux d'ores et déjà apporter quelques éléments de réponse, mais dans le désordre... Oui, l'assassin cherchera de nouveau à me supprimer car il me connaît de réputation et il sait que je ne lâche jamais prise. Il sent confusément que je commence à le cerner. Pour sauvegarder son impunité, il doit donc fuir en avant.

— Et vous dites cela avec un calme ! fit remarquer Vladimir Oustrine qui regardait le commissaire avec curiosité et admiration.

— Une autre vie est-elle menacée ? Impossible d'être affirmatif dans un sens ou dans l'autre. Pour le savoir, il faudrait découvrir ce qui pouvait exister de secret entre les deux victimes. Le même assassin ? Cela paraît évident puisque les méthodes sont les mêmes. Il masque ses crimes en accident ou en suicide. Voilà ce que l'on peut dire pour le moment. Reste maintenant à élaborer une stratégie. J'ai déjà une idée sur la question. Je vous la livrerai quand elle sera plus élaborée. En ce qui vous concerne, mademoiselle, ajouta Massillon, je vous demande simplement de vivre normalement, mais de me prévenir si vous devez quitter Paris, ou si on vous donne des rendez-vous qui vous semblent curieux. N'acceptez jamais de rencontrer quiconque seule. Faites-vous toujours accompagner par une amie. Et ne recevez personne chez vous s'il n'y a pas de témoin. Cette consigne est valable pour tout le monde, sans exception aucune.

— Pourquoi ? demanda Kathleen.

— Parce que rien ne prouve que vous ne connaissez pas l'assassin. Je pense que Nicole Fontange n'a pas dû se méfier. Mais il ne s'agit que d'une simple supposition.

Après avoir pris congé, Massillon se rendit directement chez l'un de ses amis qui exploitait une pharmacie, boulevard Beaumarchais. Un quart d'heure après son arrivée, le commissaire était fixé. Le jambon contenait une dose d'arsenic à tuer un chat, un bœuf et, par voie de conséquence, un maître de ballet !

Par déformation professionnelle, Massillon ne livra aucune confidence au pharmacien mais il s'interrogea sur la conduite à tenir. Il se demanda s'il n'avait tout de même pas intérêt à prévenir le Quai des Orfèvres, en demandant que la PJ prenne le relais. L'assassin n'était-il pas un trop gros morceau pour lui ? Et la fatigue commençait à se faire sentir. Mais là n'était pas la vraie raison de son inquiétude. En fait, Massillon craignait que le criminel le prît de vitesse et qu'il ajoutât de nouvelles victimes à sa liste déjà trop longue. Vladimir avait échappé par miracle à une mort certaine. Qui, maintenant risquait d'être atteint ?

Le commissaire retourna dans le quartier de l'Opéra. Se faisant accompagner par Simone Renaud, il se rendit dans le café d'où provenait le plateau. Il apprit que tout l'Opéra y défilait pour déjeuner. Le patron expliqua même en plaisantant que Vérovich avait failli se battre avec un autre consommateur. Massillon eut l'idée de lui montrer la photo de Eric de Marcignac.

— Vous connaissez ?

— Oui, bien sûr ! déclara le gérant après un coup d'œil sur l'image. Il venait de temps à autre pour attendre Nicole Fontange. Il a même déjeuné rapidement à midi. Il occupait une table vers l'aquarium.

Quand ils furent seuls, Simone se confia :

— Je n'arrive pas à y croire...

— Croire à quoi ?

— Que le fiancé de Nicole ait pu...

— Ne prononcez pas de jugement définitif. Dans ma carrière, j'ai appris à me méfier des coïncidences. Mais j'avoue qu'il y en a quand même beaucoup.

Massillon voulut épargner Vladimir en lui évitant un choc.

— Dites à votre maître de ballet que son jambon était tout à fait normal. Pas trace de poison. Mais conseillez-lui, de ma part, de se montrer extrêmement

124

prudent. Les consignes que j'ai données à Mlle Hillgate s'appliquent également à lui.

Pendant les jours qui suivirent, Massillon qui, grâce à Vladimir, avait ses entrées à l'Opéra, suivit la préparation de « Cléopâtre ». Un ballet qui promettait de susciter une grande polémique puisqu'il paraissait être véritablement révolutionnaire. Pour la première fois, on allait utiliser un savant mélange de musique concrète et de musique d'orchestre symphonique avec, en plus, celle provenant d'un ordinateur et, comme le disait Vladimir, les nombreux spectateurs qui viendraient à Orange, en provenance de multiples pays, auraient la primeur d'entendre le son nouveau et extraordinaire d'une œuvre en avance sur son temps. Il semblait que, par l'originalité de sa création, d'une intensité rare, le ballet, pourtant d'un classicisme absolu, allait apporter quelque chose de neuf à la Danse.

Massillon vivait presque à l'heure de l'Opéra, où il finissait par partager, et parfois malgré lui, les angoisses des danseuses, des choristes et, bien sûr, de Vladimir Oustrine qui régnait en maître absolu sur ces créatures plongées, dès qu'elles avaient franchi la porte, dans un univers étrange et captivant où le tulle donne à la réalité une transparence ensorcelée.

Il arrivait discrètement et s'installait dans un fauteuil au fond de la salle. Il observait la mise en place. Puis, pendant les haltes ou les repos, il passait derrière le rideau pour parler avec l'un ou l'autre, mais surtout pour tout voir et tout entendre. Vladimir, parfois, lui communiquait le courrier des passionnés qui l'encensaient pour son audace, ou bien des détracteurs qui lui souhaitaient la mort pour lui éviter de commettre un sacrilège.

— Vous devriez prendre ces menaces plus au sérieux, lui fit-il remarquer.

— Je n'ai pas été plus sensible aux compliments qu'aux griefs. Le jugement de mes contemporains n'a aucune importance. Seul, compte l'Art. Et dans quelques jours, je serai — comment dirai-je — invulnérable, puisque cette pièce maîtresse de la Danse aura été créée et me survivra. Voilà, cher commissaire, pourquoi j'accepte votre amicale protection jusqu'au jour J. Ensuite, ils pourront m'abattre. Mon but aura été atteint.

— J'espère, Maître, que vous pourrez longtemps encore, jouir de votre prestige et récolter les fruits de votre travail acharné. Et de votre courage.

— Quand on est motivé, quand on a un idéal en soi — comme la danse pour moi — on n'a pas besoin de courage pour agir. Tout devient simple et facile.

Au fil des jours, seuls restaient à régler les détails. Mais Vladimir, dont le visage se creusait et s'émaciait, recherchait toujours la perfection de l'attitude, de la qualité esthétique, du goût.

Les réalisateurs de la télévision qui avaient été chargés du tournage, venaient de plus en plus fréquemment pour s'imprégner du spectacle qu'ils devaient retransmettre dans des millions et millions de foyers, français, américains, russes et finlandais, en laissant passer au travers du petit écran, toute la chaleur, l'inspiration, le relief et la beauté du ballet. Un autre miracle, en somme. Et pas seulement technique.

Le soir, Joseph Massillon confiait ses impressions à son épouse qui se demandait combien de temps encore allait durer cette vie dangereuse. Elle avait hâte de savoir la troupe de l'Opéra en route pour Orange. Elle et son mari regagneraient leur pavillon de Moulins, bâti le long des berges de l'Allier. Au moins, avec la distance, tout rentrerait dans le calme et la vie redeviendrait paisible.

Joseph lui expliquait l'étrange paradoxe existant entre le virtuel de la danse, fait d'harmonie, de finesse, de grâce et d'amour, et le concret où les critiques, les chamailleries, les disputes, se haussaient parfois jusqu'à la haine, sous le masque des félicitations, des congratulations chaleureuses à chaque rencontre ! Combien de fois des lèvres souriantes donnaient-elles le baiser de Judas !

Ce soir-là, Joseph Massillon quitta l'Opéra plus tôt que de coutume. Après la répétition, il ne s'attarda pas à écouter les commentaires d'Oustrine, les bavardages des membres de la troupe ou les doléances du personnel technique sur le point de déclencher une grève pour tenter de faire aboutir leurs revendications portant sur les salaires et les conditions de travail.

L'ex-commissaire, au lieu de rentrer directement à l' « Elysées Marignan » se dirigea vers la rue Daunou. Il entra au « Harry's Bar » et se rendit vers une table du fond où l'attendait Edouard Loizot, l'un de ses amis de la Grande Maison qui, après un sévère désaccord avec le directeur de la PJ avait quitté le Quai des Orfèvres, pour ouvrir une agence de détectives privés et de surveillance. Les deux ex-policiers se serrèrent la main. Massillon commanda deux whiskies bien tassés, alluma sa Gitane et déclara :

— Si tu m'as demandé de venir, et si tu t'es déplacé toi-même, c'est que tu as des choses intéressantes à me raconter. J'ai reconnu plusieurs fois un de tes gars qui me filait le train. Je ne t'ai pas demandé de me surveiller, moi, mais Kathleen Hillgate !

— Ne t'inquiète pas ! On ne la lâche pas d'une semelle. Pour toi on fait un petit extra. Je te dois bien cela !

— Alors, au fait.

— Tu as eu raison de nous avertir. Effectivement, des choses pas très catholiques doivent être en train de se préparer. Figure-toi que nous avons de la concurrence. On n'est pas seuls sur le coup.

— Que veux-tu dire par là ?

— Mes gars ont repéré un drôle de type qui rôde autour de la danseuse et autour de toi. Nous ne pouvons intervenir, tu le sais. Je crois que ce serait mieux de refiler les relais à la PJ. Ça commence à sentir le roussi. Si le gus en question décide de passer à l'action, ce n'est pas nous qui pourrons l'en empêcher.

— Qu'est-ce qui te fait penser que nos vies sont menacées ?

— Une simple chose, et elle me suffit. Nous avons la preuve formelle que vous intéressez bigrement un inconnu, puisqu'il prend la peine de vous suivre, de près ou de loin. Cette ventouse connaît les techniques de la filature. Pour éviter de se faire identifier, il change souvent de silhouette. Une fois, il portait même une fausse paire de moustaches.

— Vous l'avez localisé ?

— Pas encore. Le malin prend des précautions de Sioux pour rentrer chez lui. Je le soupçonne fort de faire des ruptures de filatures. Pour cela, il se sert souvent du métro. Il entre dans une rame et en ressort juste avant la fermeture des portes. Ou bien, il dirige ses pas dans une galerie marchande comportant plusieurs sorties et il se perd dans la nature. Pour suivre un type pareil, il faudrait un régiment. Hélas, je ne dispose pas d'un tel effectif. J'ai déjà deux de mes gars sur le coup. Mon Joseph, il faut me comprendre. C'est tout ce que je peux faire. Mon agence doit continuer de tourner. Crois-moi, avertis le Bureau. Ce cher directeur trouvera bien un moyen pour neutraliser cet élément suspect qui s'intéresse de trop près à ta danseuse. Et à toi-même !

— Il n'en est pas question. Cette solution est totalement à exclure. Ce cher directeur, comme tu dis, boirait du petit-lait si je lui demandais quoi que ce soit. Je préfère courir tous les risques, plutôt que de me placer sous sa protection.

— Je me doutais un peu de ta réponse. Te connaissant et, avec ta réputation, tu es, somme toute, logique avec toi-même.

— Mets-moi un dispositif en place pour que je puisse découvrir le pingouin en question. Il est préférable pour moi de le connaître, pour éviter de me faire descendre bêtement.

— Mais ce n'est pas la peine ! Je t'ai apporté une série de portraits qui permettent parfaitement de l'iden-

128

tifier. Il est pris dans un café, en train de consommer, dans la rue en marchant... Avec un puissant téléobjectif, on réalise des miracles dans ce genre d'exercice.

Massillon saisit les photos que son ami venait de sortir d'un cartable noir, souvenir du temps où il usait ses fonds de culotte sur les bancs de l'école communale.

Un sourire imperceptible mais féroce se dessina sur les lèvres du commissaire. Il observa un moment les clichés, les uns après les autres, puis finit par avouer :

— Je m'y attendais.

Puis, relevant les yeux en direction de Loizot, il révéla :

— Ce monsieur s'appelle Eric de Marcignac, ou bien Julien Simonet. Comme tu voudras. Il a été fiancé à Nicole Fontange. Il semble aussi avoir bien connu Tania Maximova. Je me demande bien pourquoi il s'intéresse maintenant à Kathleen Hillgate. Avec lui, c'est la guerre des étoiles !

Edouard Loizot parut amusé par cette référence au film de fiction. Massillon continua :

— Je connais son adresse. Je suis même allé chez lui. Mais je suis incapable de dire quels sont ses objectifs !

— En tout cas, je considère que tu devrais mettre un peu de distance entre lui et toi. Ou alors, porte un gilet pare-balles.

— Je vais réfléchir à la question. Ton idée de m'éloigner un certain temps me sourit. Elle n'est pas mauvaise du tout. Lucie est en convalescence. Quand j'aurai résolu l'affaire qui me préoccupe, je l'emmènerai sur la Côte pour qu'elle se refasse une santé. A Juan-les-Pins. Le bridge étant sa passion, elle pourra ainsi retrouver un certain nombre de ses amis bridgeurs. J'avais pourtant dit que je ne jouerais plus avec elle. Dans les tournois, nous passons notre temps à nous chamailler. Mais je crois que beaucoup de couples sont dans notre cas quand ils ont des cartes à la main.

— Tu as entièrement raison. Et puis, les voyages forment la jeunesse...

Les deux amis se séparèrent.

A l'Opéra, les répétitions s'achevaient. Le spectacle était maintenant presque au point. Mais, par la fatigue et la tension nerveuse, les accrochages se multipliaient. Il fallait la grande sagesse de Vladimir et son autorité tranquille pour calmer les esprits échauffés de toute la troupe. Des incidents se produisaient aussi entre le Corps de ballet et le réalisateur de la Compagnie Française de télévision. Kathleen Hillgate, très énervée, supportait mal les impératifs exprimés par le maître de la caméra et elle agissait avec une telle désinvolture qu'il en était excédé.

Joseph Massillon, consciencieux à l'extrême, ne changea rien à ses habitudes. Il se rendit à l'Opéra jusqu'au dernier jour. Et quand Kathleen le remercia pour son aide en lui dédicaçant une très belle photo, il lui avoua :

— Dites-moi simplement « A bientôt ! ». Je ne peux plus me passer de vous. Je vais aller à Orange, moi aussi !

L'Etoile battit des mains et, comme elle l'aurait fait avec son grand-père, elle se leva pour lui déposer un baiser sonore sur les deux joues.

Vladimir le remercia pour cette excellente initiative et cette nouvelle preuve de dévouement.

— Avec vous, tout se passera bien !

— Je vais en vacances, précisa Massillon. Vous me flattez beaucoup. Mais je ne puis rien faire pour contribuer à la réussite de votre entreprise.

— Vous vous trompez, commissaire. Votre présence rassure toute la troupe. Vous conjurez le mauvais sort. Donc, mes danseuses, tranquillisées, seront plus disponibles pour leur Art. Vous aurez ainsi votre part dans notre réussite.

Joseph Massillon s'apprêtait à quitter l'Opéra quand, dans le couloir, il se heurta à Raoul Cornu, l'accessoiriste. D'une petite voix chevrotante, celui-ci lui demanda :

— Vous n'avez pas une seconde à perdre, commissaire ? Je voudrais vous montrer quelque chose.

— Mais si, bien sûr !

— C'est gentil... mais vous verrez, vous ne regretterez pas votre temps. Venez...

Et il l'entraîna dans les dédales des couloirs et des escaliers en colimaçon jusque dans les combles du Palais Garnier.

— Vous savez pourquoi les filles m'appellent « Monsieur Bis » ? demanda-t-il.

— Ma foi non.

— Mon nom est Cornu... et je suis un peu bossu... alors biscornu...

Vous pigez ?

— Je suis sûr que ce n'est pas méchant de leur part.

M. Bis fit jouer une clef dans la serrure d'une petite porte. Et Joseph Massillon découvrit là toute l'histoire de l'Opéra depuis cinquante ans. Depuis le jour où le jeune Raoul, qui accompagnait son père machiniste, avait eu l'idée de collectionner les objets dont les étoiles se servaient. Et, par cette passion, il était devenu tout naturellement accessoiriste.

Raoul, très fier de lui, expliqua :

— Voici un morceau de tutu calciné que portait Janine Charrat quand elle a failli être transformée en torche vivante ! Et voilà les chaussons que Ludmilla Tchérina a portés dans « le Lac des Cygnes ».

Et Raoul continuait à évoquer les souvenirs qui émanaient de tout ce petit musée étalé sous les yeux du commissaire.

— Et cette petite cuillère, ajouta-t-il avec une émotion contenue dans sa voix, cette petite cuillère... c'est celle dont s'est servie la pauvre Nicole Fontange au « Pavillon Ledoyen » à son dîner d'adieu, son éternel adieu !

Au mur, l'accessoiriste avait épinglé l'histoire de l'Opéra en photos. Sur l'une d'entre elles, Massillon reconnut Vladimir Oustrine et Sergio Marini, quand ils étaient étoiles tous les deux, applaudis par la presse enthousiaste et un public nombreux.

En quittant les lieux, Cornu soupira :

— Objets inanimés, avez-vous donc une âme ?

Et le commissaire répondit :

— Mon cher monsieur Bis, j'en suis intimement persuadé...

*
**

A l'hôpital, Lucie avait le sourire. Le médecin l'avait autorisée à rentrer chez elle. Elle annonça la bonne nouvelle à son mari.

— Les radios sont excellentes. La plaie s'est complètement cicatrisée. Maintenant, il ne me reste plus qu'à observer une assez courte convalescence.

Joseph profita de l'occasion pour enchaîner :

— J'ai réglé le problème. Il te faut du calme et du soleil. Le printemps est en retard au nord de la Loire, mais dans le Midi, il est au rendez-vous. J'ai téléphoné à l'agence de Juan-les-Pins. Par chance, l'appartement que nous avions loué ces dernières années était libre. Je l'ai réservé pour une quinzaine de jours. Ainsi, tu pourras, sans te fatiguer surtout, participer au Festival de bridge.

— Je croyais que tu avais juré de ne plus jamais aller à Antibes pendant le Festival...

— Il n'y a que les ânes qui ne changent pas d'avis. Pendant que je serai sur place, je ferai peut-être un saut à Orange pour assister au ballet « Cléopâtre ».

Lucie s'accrocha au bras de son mari.

— Je comprends mieux maintenant ton désir d'aller sur la Côte... Si la troupe de ballet s'était rendue en Afrique, tu m'aurais sans doute avec autant de conviction vanté le charme du pays des Papous ! Réponds-moi franchement. Pourquoi tiens-tu à effectuer ce voyage ? Est-ce pour les besoins de ton enquête ? Crains-tu pour la vie de la danseuse Kathleen Hillgate ? Mais là-bas, elle sera en sécurité. Et, jusqu'à preuve du contraire, ce

132

n'est pas elle qui est menacée. Mais toi ! Enfin, ce qui me fait accepter, c'est que ce voyage permettra de t'éloigner de Paris et de ceux qui ont voulu te tuer. Pendant ce temps-là, la police mettra peut-être la main sur eux !

Aurélie conduisit ses grands-parents à Moulins dans sa Clio vert bronze, flambant neuf.

Ils n'y séjournèrent que deux jours. Le temps de faire tourner la machine à laver et de regarnir les valises. Puis ils reprirent la route du Midi.

Ils arrivèrent à Juan-les-Pins en fin d'après-midi pour prendre possession de leur logement au « Center Bay », un immeuble de standing juste devant les plages de Juan. Une vue imprenable sur la mer, d'un grand balcon au cinquième étage, et un confortable appartement meublé avec raffinement, avec bibliothèque de style anglais et salon en cuir. L'idéal pour des vacances.

Dès le lendemain de leur arrivée, Lucie, qui se sentait de mieux en mieux, se rendit au Palais des Congrès, pour s'inscrire dans les différents tournois du Festival de Bridge. Elle rencontra son vieil ami Foquez, un ancien champion d'Europe, qui lui proposa de disputer le mixte avec elle. Elle accepta avec entousiasme, évitant ainsi le risque des inévitables accrochages si elle avait eu son mari comme partenaire. Elle ne parvenait pas à admettre ses erreurs, sa distraction. C'est ainsi qu'au tournoi de Vichy, quelques années auparavant, en pleine table, elle lui avait lancé au visage :

« Mon pauvre ami, en jouant aussi mal, je ne comprends pas que vous ayez pu envoyer tant de monde en prison ! »

Sa femme étant installée, assurée d'avoir une occupation intéressante avec le Festival, Massillon décida plus librement d'accompagner Aurélie à Orange.

Ils partirent le lendemain, firent la route sans problème et descendirent à l' « Hôtel du Midi ».

Le printemps était au rendez-vous. L'air était chargé de senteurs les plus diverses, où se mêlaient celles de l'eucalyptus, des orangers et des bougainvillées en bouquets. Aucun nuage dans le bleu limpide du ciel. La température extrêmement douce surprenait par rapport au temps gris de Paris.

Le commissaire entra dans le hall de l'hôtel. La première personne qu'il aperçut fut... Eric de Marcignac. Le fiancé de la malheureuse Nicole Fontange, en short blanc et raquette sous le bras, s'apprêtait à disputer un match de tennis contre un Anglais avec lequel il avait sympathisé la veille, dès son arrivée. Au bar, les deux hommes s'étaient découvert un goût commun pour le pastis, le rosé de Provence et le sport.

Kathleen sortit de l'ascenseur en robe blanche, foulard dans les cheveux.

— Commissaire ! s'exclama-t-elle, en le reconnaissant, planté devant la réception, au milieu des valises.

— Vous m'aviez promis de m'appeler Joseph si je venais assister à votre spectacle.

— Cher Joseph, comme je suis contente de vous voir !

Il s'inquiéta des préparatifs du gala.

— Le site est grandiose. Dans un tel décor, mes chaussons prendront des ailes !

— Vladimir doit être satisfait !

— Il ne l'est jamais complètement. C'est un perfectionniste. Actuellement, il est très irritable. Ce qui est tout à fait normal. Nous avons beau lui dire de se ménager, il ne veut rien entendre. Quand on lui fait remarquer qu'il se surmène et qu'il ne devrait pas oublier ses deux infarctus, il répond : « Mon cœur, je m'en moque ! Je lui demande seulement de tenir jusqu'à la grande soirée. »

— Tout le monde est arrivé ?

— Bien sûr ! La troupe est au complet. Les équipes de télévision également. Et ce réalisateur atteint, lui aussi, le sublime ! Dans le don de m'énerver !

— Y a-t-il beaucoup de clients dans cet hôtel ?

— Presque tous viennent pour le spectacle. De France, mais aussi de toute l'Europe. Et spécialement

134

des Etats-Unis. Ce sera, véritablement, une soirée inoubliable...

— Vous avez remarqué des connaissances ?

— Bien sûr ! Entre autres, Eric de Marcignac. Le pauvre homme, il doit penser à Nicole ! Elle aurait pu tout aussi bien danser à ma place...

— Il ne faut pas songer à cela.

Simone Renaud rentrait d'une promenade, flanquée de deux jeunes gens qui auraient été mieux à leur place dans une communauté de l'Ardèche que dans ce palace. Le garçon portait des cheveux longs et huileux, et une barbe de plusieurs jours qui rendait son visage encore plus émacié. Son jean délavé était sale et rapiécé. La jeune fille était d'une maigreur effrayante et paraissait fiévreuse.

La pianiste salua Joseph Massillon et lui présenta sa fille et son fiancé. Elle expliqua :

— Elle a été autorisée à venir ici avec moi. Pour lui changer les idées.

Les jeunes gens regardaient l'ex-policier avec une hostilité non dissimulée. Pour eux, il était un « flic ». Et rien que cela. Entre eux et les représentants de la loi, un mur infranchissable s'était construit avec le temps. Et les nuits au Dépôt, les interrogatoires avaient fait naître en eux une haine farouche contre tout le système judiciaire que rien ni personne ne pourrait annihiler. Carole et Alain ne s'attardèrent d'ailleurs pas. Ils se dirigèrent vers le bar pour traîner ailleurs leur abominable mal de vivre.

— Alors Simone, comment ça va ? demanda le commissaire.

— Pas très, très bien. J'ai hâte que tout cela se termine. Kathleen devient impossible. Elle ne supporte plus personne. Hier soir, elle s'est accrochée avec Vérovich.

— Le violoniste yougoslave ?

— Oui. Ils se sont querellés pendant le dîner, et ensuite à la Taverne. Elle lui a déclaré qu'il ne savait pas se servir d'un violon. Il l'a menacée de lui balancer son assiette sur la tête. Je n'étais pas rassurée, d'autant plus que Lauriac, vous savez, le critique d'art, a pris position en faveur du violoniste. Kathleen lui a cloué le bec : « Nicole Fontange disait que vous ne connaissiez rien à la danse et à l'Art. Je m'aperçois qu'elle était au-dessous de la vérité ! » Le journaliste n'a pas bronché. Mais je suis sûr qu'il a la rancune tenace. Il se vengera. Que va-t-il écrire ?

Joseph Massillon interrompit la conversation pour se rendre dans sa chambre. Celle-ci, située au rez-de-chaussée, claire et spacieuse, avait vue sur le jardin, sur un magnifique parterre de fleurs qui embaumaient les appartements.

Il commença à défaire ses valises, et décida de prendre un bain, pour éliminer les fatigues du voyage. Dans la baignoire, il découvrit une sorte de scorpion peu sympathique. La sale bête avait dû entrer par la baie ouverte et chercher la fraîcheur de l'humidité. Son premier réflexe fut de la saisir pour lui rendre sa liberté, mais trouvant ridicule de prendre le risque d'être piqué, il sonna la femme de chambre qui, elle, saurait ce qu'il fallait faire car ce ne serait sans doute pas la première fois qu'elle se trouverait confrontée à ce genre de problème.

Effectivement l'employée donna des explications. Ce genre de bestioles fréquentant les rocailles du jardin entre dans les chambres du rez-de-chaussée. La femme de chambre s'absenta quelques instants et revint avec un serviteur qui fit un large sourire pour rassurer le client. Il se contenta d'ouvrir les robinets pour noyer la bestiole. Ensuite, il pourrait la prendre sans danger.

« C'est simple ! jugea Massillon. Encore fallait-il y penser ! »

Au contact de l'eau, le scorpion se débattit, puis s'immobilisa. L'homme expliqua à sa collègue :

— C'est drôle. D'habitude, ces cochonneries sont plus longues à crever !

Quand il fut certain qu'elle ne bougeait plus, il plongea la main dans l'eau pour la saisir et... fut projeté à deux mètres de la baignoire. Il resta incapable du moindre geste et de fournir la moindre explication.

Massillon crut qu'il avait été piqué par le scorpion. Il allait sortir pour chercher du secours quand l'homme, qui retrouvait ses esprits, bégaya :

— Electricité, danger...

Massillon ne comprenait vraiment pas. Il se félicitait seulement que Lucie ne soit pas venue. Il aurait été stupide de l'inquiéter avec ce nouvel incident.

La femme de chambre était allée chercher l'homme chargé de l'entreten de l'établissement.

— J'ai coupé le courant, expliqua-t-il. Nous allons voir ce qui s'est passé.

Il ouvrit la petite trappe sous la baignoire, et vit deux fils électriques dénudés qui, tirés de la plinthe, avaient été placés en dérivation sur le siphon, partie métallique de la baignoire.

— Je ne comprends pas, se lamentait-il. Les ouvriers qui ont été chargés, le mois dernier, de refaire les circuits électriques et de rajouter des prises de courant, n'ont pas dû terminer ce travail. Mais cette négligence aurait pu avoir de graves conséquences !

— Lesquelles ? questionna Massillon qui s'attendait à la réponse.

— Si vous aviez rempli la baignoire, et si vous l'aviez enjambée, je crois bien que vous seriez mort électrocuté.

— Mort... Mort... s'exclama la femme, qui comprenait la situation.

— Je vais avertir la direction de l'hôtel. Nous préviendrons la Police, pour punir l'électricien. Il mérite la prison.

Massillon ferma la porte de la chambre et expliqua :

— Cela ne servirait à rien. Avec le spectacle, il vaut mieux ne pas faire de drame. Et ne rien dire ! Je suis vivant, c'est le principal. Que cela reste entre nous.

Aurélie entra dans la chambre. Massillon lui expliqua la présence du personnel dans la pièce par un blocage du robinet de la douche.

En se glissant dans l'eau, Massillon remercia l'horloge du Ciel de ne pas encore avoir sonné pour lui. Puis, sous une montagne de mousse, il réfléchit :

« Au fond, pensa-t-il, c'est une très bonne chose que l'on ait tenté de me tuer ici. Mais mon assassin n'a pas perdu de temps. C'est le moins que l'on puisse dire. Il me donne la preuve que celui qui a agi ici et celui qui a agi à Paris ne font qu'une seule et même personne. A moi de la découvrir. Deuxième élément qui demande une analyse plus poussée. Mes ennuis ont commencé juste après la mort de cette pauvre Nicole Fontange. Donc, on peut légitimement supposer qu'on veut me supprimer parce que je me suis intéressé à la fin tragique de cette danseuse. Et que Nicole se trouvait au centre de l'affaire. Mais laquelle ? Je suis là pour trouver la clef de l'énigme. Et je n'ai qu'une semaine devant moi ! Après, chacun partira dans sa direction. Et je serai bien obligé de conclure que j'ai échoué. Mais ne soyons pas pessimiste. En positif, il faut retenir que j'ai tissé une solide toile d'araignée. L'assassin risque de s'emmêler dedans. »

L'image d'une chèvre attachée à un pieu pour servir d'appât au loup lui revint à l'esprit et lui donna une idée.

Il passa une chemise blanche et un costume de flanelle grise. Et c'est d'un pas léger qu'il se dirigea vers le restaurant.

Une nouvelle fois, il avait failli mourir. Il traquait un redoutable assassin qui, tapi dans l'ombre, guettait ses proies. Et son plaisir de vivre ne s'en trouvait pas altéré. Il savait goûter la douceur du moment et admirer la beauté d'un paysage.

Dans l'entrée de l'hôtel, en attendant sa petite fille, il consulta une revue de danse « Pas de Deux » qui traînait sur une table basse. Il fut très intéressé par un article consacré à Kathleen Hillgate. Il le relut plusieurs fois, en étudiant la revue page après page. Puis au bar, il retrouva Vladimir Oustrine. Le maître de ballet portait une chemise rouge, avec un foulard bleu.

N'ayant rien perdu de son accent slave, il parlait fort. On s'agitait autour de lui. Il régnait comme un roi sur sa troupe. Il donna l'ordre de passer à table.

Le soleil brillait haut dans le ciel. La brise apportait une odeur d'iode et de bougainvillées.

Au dessert pris sur la terrasse, Kathleen chercha l'ombre du parasol. L'étoile commençait à se moucher sans arrêt.

« Je crois que je fais une crise d'allergie. Cela se produit toujours au printemps à l'époque de la pollinisation. Comment vais-je faire pour danser en ayant constamment un mouchoir à la main ? Heureusement, j'ai apporté mes médicaments de désensibilisation. Je me fais tous les jours une petite piqûre et, avec de la chance, je suis à peu près tranquille.

Vladimir voulut en savoir davantage.

— Il s'agit, précisa la danseuse, d'un traitement très simple et efficace. Une piqûre chaque jour d'un antihistaminique. Une série de sept. L'amélioration est sensible dès la première injection. Mais il ne faut pas d'interruption, sinon la crise redouble d'intensité.

Kathleen s'éclipsa. Elle revint un moment après, ayant laissé sur la tablette de sa salle de bains les six doses contenues dans des ampoules et les six seringues en plastique jetables après utilisation.

Après le déjeuner, la danseuse se reposa.

Le maître de ballet, pour avoir la paix, sortit se promener dans la colline toute proche, où les sentiers pierreux conduisent souvent à des sources d'eau vive. S'appuyant sur un bâton, il marcha longtemps, observant le sol, les taillis épineux et les crapauds qui, aux points d'eau se livraient à de véritables sarabandes.

Joseph Massillon se rendit au Théâtre antique qui servait de cadre pour « Cléopâtre ». Dans ce décor de pierres plusieurs fois millénaire où l'on s'attendait à voir paraître des femmes en voiles blancs et des hommes en tuniques, des guitounes abritaient le matériel de la Compagnie Française de Télévision. Les techniciens s'affairaient pour trouver l'endroit propice où ils pourraient poser les trépieds des caméras. Ils évoluaient torse nu, coiffés de casquettes style course cycliste.

Il eut tout à coup l'impression d'être épié. Il connaissait bien cette sensation. Il balaya du regard l'horizon pour localiser le point d'où pouvait provenir le danger. Ayant le soleil de face, l'éblouissement l'empêchait de discerner quoi que ce soit. Il décida de rentrer. Sur la route du retour, il vit qu'une autre petite voiture semblable à la sienne le suivait à une distance respectable. Il la surveilla, se promettant de ne pas se laisser doubler, et quitta la route principale pour celle conduisant dans le centre de la ville. Il se gara devant l'hôtel et attendit l'arrivée du mystérieux véhicule qui déboucha enfin et vint se placer à côté de la petite Clio. Eric de Marcignac, apparemment très détendu, en sortit. Massillon jugea le moment peu opportun pour avoir une explication avec lui. Il gagna donc les terrasses pour boire un rafraîchissement.

Après le dîner, Massillon savoura le calme du soir en regardant la nuit tomber. Pour faciliter la digestion et aussi peut-être pour des raisons plus secrètes, il décida de se dégourdir les jambes sur le petit chemin conduisant au Théâtre Antique.

Il entendit des pas derrière lui. Il se retourna. Vladimir Oustrine le rejoignait.

« Quelle étrange luminosité ! Ne trouvez-vous pas, mon cher commissaire ?

— Oui, c'est vrai. Et j'avoue y être assez sensible.

— Cela ne m'étonne pas. Vous aussi, dans votre genre, vous êtes un artiste. C'est sans doute votre constante recherche qui nous a rapprochés. Vous et moi, nous allons jusqu'au bout des choses.

— Eh oui ! Mais dans mon cas, je ne peux pas dire s'il s'agit d'une qualité ou... d'un défaut.

Ils aperçurent la silhouette voûtée de Raoul Cornu, qui marchait à petits pas pressés

— Etrange créature... fit remarquer Massillon.

140

Leur conversation fut interrompue par un nouvel arrivant, Eric de Marcignac.

— Je vous ai aperçu plusieurs fois, commissaire, mais je n'ai pas encore eu l'occasion de vous saluer.

— Eh bien, voilà qui est fait, répondit Massillon sur un ton plutôt sec.

Puis, après une seconde de silence, il poursuivit :

— Je croyais que vous deviez partir pour l'Afrique.

— Effectivement. Mais j'ai tenu à assister au spectacle de Vladimir Oustrine, en souvenir de Nicole. Elle serait certainement là si...

Vladimir l'interrompit :

— Mon cher Eric, vous vous faites souffrir inutilement. Est-ce que pour vous, la recherche de l'oubli plutôt que celle des souvenirs, ne serait pas la meilleure thérapeutique contre votre chagrin ?

Massillon regardait le Théâtre. S'il avait voulu commettre un crime, c'est sans doute à cet endroit qu'il aurait entraîné sa victime. L'enquête aurait conclu à un... accident. Un faux pas malencontreux, ou bien un malaise et la tête vous fait basculer.

Au détour du chemin et dans un renfoncement, les trois hommes découvrirent Carole Renaud et son fiancé qui, assis l'un à côté de l'autre, fixaient l'horizon et poursuivaient leur étrange voyage intérieur.

Vladimir décida de rentrer, la fraîcheur tombant sur les épaules. Ils se retournèrent et reprirent leur marche en direction de l'hôtel. Soudain une ombre se dessina devant eux. Vérovich laissa le passage au maître de ballet, puis à Massillon, mais il lança à Marcignac un regard plein de rancune et de haine.

Une toute petite semaine précédait le grand soir. Kathleen travaillait sa barre et la chorégraphie dans une salle mise à sa disposition par l'hôtel sans que personne ne soit admis à ces cinq heures de travail quotidien. Et, au fur et à mesure que la poudre s'écoulait du sablier, depuis que le compte à rebours était déclenché, le trac de la danseuse étoile grandissait. A un point tel qu'elle ne quittait plus son maître de ballet. Dès qu'il n'était plus là, elle paniquait. Elle redoutait le trou noir. La crainte de ne pas se souvenir de l'enchaînement des pas devant des millions de téléspectateurs et devant son public, la hantait. Elle, si sûre d'elle habituellement, si décontractée, finissait même par avoir peur de trébucher, de se tordre bêtement une cheville à la réception d'un saut. De glisser et tomber dans une attitude qui la ridiculiserait pour le reste de sa vie. Kathleen Hillgate ou la chute d'une étoile !

Vladimir lui montrait, et lui remontrait, avec une patience infinie, les pages du ballet où, par des signes cabalistiques pour le profane il avait noté toutes les figures, tous les pas, non seulement de l'Etoile, mais de tous ceux qui, à un moment ou à un autre, entreraient en scène.

Kathleen refusait de prendre ses repas au restaurant pour ne pas être déconcentrée ou importunée par les journalistes de plus en plus nombreux ou les photographes qui semblaient dormir avec leur appareil pour être certains de ne pas rater le cliché du siècle.

Pour se décontracter, quelques membres du ballet décidèrent d'aller passer, en petit comité, une soirée au tout nouveau restaurant russe de Mougins « le Saint-Pétersbourg », une copie conforme de la célèbre « Bergerie » de Courchevel. Henri Sauvanet, le maître des lieux, après avoir régné sur les nuits de la station de ski, avait décidé d'ajouter ce fleuron pour noctambules à celui de « La Ferme » qu'il exploite également à Mougins. Et dès l'ouverture, avec un authentique orchestre russe arrivé tout droit de Moscou, et une carte originale et gastronomique, le succès avait été immédiat. « Le Saint-Pétersbourg » était devenu un lieu incontournable de la Côte, d'autant plus que, pendant le Festival de Cannes, on comptait plus de vedettes chez Sauvanet que dans les réceptions officielles jalonnant La Croisette.

Kathleen, comme Aurélie, acceptèrent avec joie de se joindre à ce petit groupe. La première invita

Vladimir, alors que la seconde dut insister pour que son grand-père consente à l'accompagner.

Henri Sauvanet les reçut avec la classe d'un tsar. Il leur réserva la meilleure table, juste devant l'orchestre.

Pour le menu, il leur conseilla un caviar d'huîtres, une création de son chef de cuisine. Les flacons de vodka, entourés d'une auréole de glace comme les anneaux de Saturne, se succédaient sur la table. Avec l'ambiance et la qualité des mets, la vodka coulait facilement même dans les gorges peu habituées à l'alcool.

Vladimir et Massillon étaient assis l'un en face de l'autre. Ils parlaient beaucoup, ponctuant leurs affirmations par des petits verres.

— A votre santé, Joseph !

— A la vôtre, Vladimir...

Ils devenaient très proches l'un de l'autre, comme liés par une étrange complicité. Ils paraissaient échanger leurs confidences, allant de plus en plus loin dans leur jardin secret. C'est ainsi que le maître de ballet avoua que la femme n'avait de l'intérêt que lorsqu'elle atteignait le sublime. Et le commissaire révélait qu'il aurait aimé jouer les Arsène Lupin pour mettre en échec toutes les forces de Police.

L'orchestre vint souvent à leur table pour interpréter les morceaux demandés par Aurélie et Kathleen.

Mais, pour ne pas fatiguer les danseuses, peu avant minuit, le maître de ballet donna le signal du départ. En musique, l'orchestre les raccompagna jusqu'à leurs voitures !

Aurélie jugea préférable de prendre le volant pour éviter à son grand-père une fâcheuse déconvenue si, à la suite d'un contrôle, il devait se soumettre à l'alcootest. Sur le chemin du retour, le commissaire Massillon se félicita d'avoir participé à cette soirée. Vladimir se trouvait dans le même état d'esprit.

Dans les derniers jours, le ballet travailla davantage encore.

La nuit précédant le gala, Kathleen, malgré un léger

tranquillisant, eut bien du mal à trouver le sommeil. Mentalement, elle continuait de répéter. Elle devenait Cléopâtre !

Elle voulut arriver très tôt le lendemain au Théâtre antique. Une confortable caravane était installée pour lui servir de loge. Deux cerbères montaient la garde devant la porte pour refouler les importuns. Le Théâtre n'offrait plus une place disponible. La scène, tout en bas, était inondée de lumière. Les dieux de l'Olympe auraient été satisfaits. Tout était prêt pour cette grande première en mondovision.

A l'heure prévue, l'orchestre attaqua l'ouverture dans un tonnerre de cuivres.

Kathleen, les muscles chauds, fardée, les yeux allongés au crayon noir, enfin prête dans sa loge, quitta son miroir et se leva.

Elle embrassa Vladimir en le serrant très fort. Elle était autre.

Elle ne vit ni les gradins, ni les milliers de spectateurs privilégiés, ni les caméras de télévision. L'arène devenait son univers, sur lequel elle allait régner, et mourir. Et c'est dans une sorte d'ivresse, comme évoluant dans l'apesanteur, qu'elle avança, à petits pas courus, sous les projecteurs. Au même moment, plus de cinquante millions de téléspectateurs s'installaient devant leur petit écran.

Pendant une heure trente, « le temps suspendit son vol ». Kathleen imposa magistralement cette nouvelle chorégraphie, en soulevant, à la fin de chaque tableau, de longs et frénétiques applaudissements. Et quand elle s'immobilisa, figée, au moment où Cléopâtre, mordue par le serpent, quittait la vie pour entrer dans la légende, tous les spectateurs se levèrent dans un grand élan d'admiration, et l'acclamèrent longuement. Les ovations redoublèrent quand elle prit Vladimir par la main pour l'entraîner devant son public. Le cameraman s'attarda sur cette image de la consécration mondiale. Les téléspectateurs purent voir, lors d'un gros plan, des larmes rouler sur le visage émacié et anguleux du vieux maître de ballet qui venait d'offrir à la postérité une merveilleuse pièce d'anthologie de la danse. Sans nul doute, une page de l'Art chorégraphique venait d'être tournée. « Cléopâtre » servirait de point de référence. De date. Les businessmen américains ne s'y étaient pas trompés. En prenant sous contrat Kathleen Hillgate, l'affaire montée en show serait plus que juteuse. Avec John Hallifax, « Big Jo » comme on l'appelait dans le métier, désormais chaque pas de Kathleen vaudrait une sacrée poignée de dollars !

La perspective de voyages fabuleux et d'un compte en banque de plus en plus important, évitait à la danseuse la moindre nostalgie de quitter l'Opéra et la danse classique dans ce qu'elle a de plus pur. Depuis la signature du contrat, elle se voyait à la tête d'une petite fortune et s'offrant toutes les fantaisies, même les plus coûteuses ! Une splendide maison, avec une piscine intérieure, un luxueux chalet à la montagne, à Megève bien sûr, peut-être même un bateau qu'elle ancrerait dans le port de Saint-Tropez !

Sa caravane fut bientôt envahie par les gerbes de fleurs. Les bouchons des Comtes de Taittinger sautèrent joyeusement pour tous ceux qui avaient participé à la réussite de cette périlleuse entreprise. Techniciens, preneurs de sons, maquilleuses, musiciens, régisseur... Tout ce monde des coulisses que l'on ne voit jamais, mais sans lesquels rien n'est possible.

John Hallifax ne voyait jamais les choses en petit. Et, pour son confort personnel, il employait toujours les grands moyens. Ne trouvant aucun hôtel à son goût à Orange, une ville qu'il jugeait sans intérêt, il était descendu à Cannes au « Martinez ». Et, pour se rendre au Théâtre Antique, il s'était, tout simplement, assuré les services d'une compagnie d'hélicoptères qui avait mis à sa disposition le plus gros appareil qu'elle possédait. C'est par ce moyen aérien que ses rares invités purent quitter le Théâtre Antique après le spectacle, pour gagner Mougins et « le Saint-Pétersbourg ». Ayant eu des échos de l'escapade des danseuses chez Sauvanet, John Hallifax, qui voulait toujours avoir le pas sur tout, avait décidé d'organiser le souper dans le restaurant russe et demandait que chacun de ses invités ait dans son assiette sa propre boîte de caviar. 250 grammes par personne !

Au bout d'un moment, Kathleen et Vladimir s'éclipsèrent pour gagner l'appareil. Ils furent bientôt rejoints par Aurélie et Massillon. D'autres convives embarquèrent également. Ceux qui n'avaient pas trouvé de place durent attendre l'arrivée d'un deuxième hélicoptère.

Le lourd engin décolla à la verticale, dans le vrombissement du moteur. Le pilote offrit à sa célèbre passagère quelques minutes de vol stationnaire au-dessus du Théâtre Antique encore illuminé. Une glorieuse cuvette de lumière dans la nuit. Puis il mit le cap sur le sud, longeant un moment les deux trouées incandescentes que formait l'autoroute.

L'hélicoptère se posa sur le parking de « la Ferme », délimité pour l'occasion, par des spots et des torches aux quatre coins.

Pour accueillir Big Jo et ses invités, Henri Sauvanet avait troqué son costume de ville contre une chasuble rouge et blanche de Tzigane. Et c'est au son des violons, des guitares et des balalaïkas que le petit groupe gagna « le Saint-Pétersbourg ».

Le souper fut particulièrement joyeux et animé. Tous dégustèrent le béluga utilisant des cuillères d'argent, pour l'étaler en couche épaisse sur des toasts chauds et moelleux.

Les musiciens se surpassaient. La chanteuse invitait les convives à reprendre les refrains en chœur. Puis elle les entraîna à danser avec elle. Kathleen se leva de table pour aller sur la piste. Elle défit ses nattes blondes, et, les cheveux sur le visage, elle se lança dans une folle improvisation. La salle entière, debout, l'applaudissait en mesure !

Vladimir s'adressa au commissaire qui, d'un œil amusé, suivait la scène.

— Quelle petite sotte ! Se mettre dans des états pareils ! Mais il faut la comprendre. Ses nerfs ont été mis à rude épreuve. Elle a besoin de se défouler. Mais quelle nature ! Quel dommage qu'elle n'endigue pas ses forces pour les réserver uniquement à l'Art...

Joseph Massillon répondit :

— Oui, bien sûr ! Mais que de sacrifices elle aurait dû consentir... C'était son droit de ne pas refuser la chance qui s'offrait à elle.

Big Jo vida son verre de vodka d'un trait et, entre deux bouffées de cigare, précisa :

— Ne vous inquiétez pas, Vladimir ! Avec nous, elle sera encore plus célèbre. D'une étoile, nous allons en faire une star !

— Je vous ai déjà dit ce que j'en pensais. Pour elle, ce sera la consécration mondiale. Et je m'en réjouis. Mais son départ appauvrit considérablement le corps de ballet de l'Europe. Après la disparition de Nicole et de Tania, il n'est pas décimé. Mais les étoiles qui seront nommées seront encore frêles pour assurer la relève. Quant à moi...

— Mon cher Vladimir, vous serez toujours le bienvenu chez nous ! Je vous fais une proposition. Créez-nous un ballet. Avec des décors féeriques. Du grand spectacle. Sergio sera ravi si vous acceptez de collaborer avec lui.

— C'est gentil de me le proposer. Mais je ne pense pas que je pourrai apporter grand-chose. Sergio et moi avons des conceptions différentes de la chorégraphie.

Le commissaire suivait cette intéressante conversation entre deux hommes de valeur dans leurs domaines respectifs et que tout opposait, le Slave et l'Américain. L'Art et l'Argent. La discrétion et le côté tapageur.

Vladimir reprit :

— Vous m'enlevez Kathleen. Maintenant je ne peux plus rien faire pour elle. A vous de prendre le relais.

Massillon intervint :

— Vladimir, vous vous contredisez ! Vous ne livrez pas le fond de votre pensée.

— Mais si... mais si...

Vers les deux heures du matin, la fatigue commença à se faire sentir. Les pilotes lancèrent les turbines de leurs appareils. Le ciel se colorait dans le jour naissant.

Vladimir souffla à Kathleen, dans le creux de l'oreille.

— N'oublie pas ta promesse.

— Promis ! répondit la danseuse, en lui lançant un regard affectueux et reconnaissant.

Raoul Cornu s'empara du verre dans lequel la danseuse avait bu de la vodka, et qui portait la trace de son rouge à lèvres... Une pièce de plus pour son musée de l'étrange.


## CHAPITRE IX


Vladimir donna à son épouse un comprimé de tranquillisant pour lui permettre de trouver le sommeil plus facilement. Il resta un long moment sur le balcon à contempler le ciel qui se teintait d'un bleu pastel. Sa pensée allait vers Nicole. Vers Tania. Vers la relativité de la vie face à l'immortalité de l'âme. Et cette maxime lui vint à l'esprit : « La vie est un ballet. On ne la danse qu'une seule fois ! »

L'aube arriva imperceptiblement avec une lueur à l'horizon.

Kathleen avait la tête embuée par le succès, la musique et les verres de vodka. Elle prit un cachet effervescent. Elle se serait volontiers affalée sur son lit pour dormir à poings fermés. Mais pour rien au monde elle n'aurait failli à sa parole d'honneur. L'heure était venue pour elle de donner à son Maître, à celui auquel elle devait tout, le cadeau qu'il lui avait demandé.

Danser une dernière fois, pour lui tout seul, dans les couleurs nacrées de l'aube naissante.

— Il faut être slave pour avoir une telle idée et vibrer ainsi devant ce spectacle.

Elle se promit de ne pas tricher. Mais, une ultime fois, de livrer son âme à la danse, devant son créateur.

Ce gala au petit jour devait, évidemment, rester secret pour ne pas voir le Théâtre Antique envahi par des photographes à l'affût de la photo à sensation.

Vladimir gratta à la porte. Il paraissait tendu et avait le teint cireux.

— Croyez-vous que ce soit raisonnable ? lui dit-elle. Vous êtes épuisé.

— Quand tu seras partie, j'aurai tout le temps de me reposer. Je crois que je vais prendre ma retraite.

Kathleen éternua plusieurs fois.

— Ta piqûre... il ne s'agirait pas que tu fasses une crise d'allergie !

— Je la ferai plus tard. Allons-y !

Ils quittèrent l'hôtel le plus discrètement possible, par une baie du salon ouvrant sur les jardins, afin d'éviter la réception.

Kathleen monta dans sa voiture et, heureuse de vivre, se dirigea vers son royaume. Dans son cœur, cette représentation prenait autant d'importance que celle de la veille. Et danser, en guise d'adieu, devant Vladimir Oustrine, lui semblait autrement plus émouvant que devant l'œil glacé d'une caméra de télévision.

Déjà concentrée, la métamorphose de Cléopâtre s'opérant, elle ne remarqua pas Eric de Marcignac qui la suivait. Ni Vladimir, ni Kathleen, ni Eric, ne s'aperçurent qu'une autre ombre leur avait emboîté le pas.

Massillon avait l'habitude des planques. Depuis son retour à l'hôtel, il s'était mis à couvert derrière un bosquet de lauriers-roses d'où il découvrait une vue panoramique de l'hôtel. De ce point d'observation, il pouvait contrôler toutes les entrées et surtout les sorties.

Il avait failli suivre Kathleen, mais il n'était pas pressé d'entreprendre sa filature. Il se mit en route, et, abandonnant sa voiture, il fit le reste du parcours à pied, trébuchant parfois dans les ronces. « Ce n'est plus de mon âge », pensa-t-il, après avoir failli tomber. Mais la conviction qu'il arrivait au but, que cette étrange affaire allait se démêler devant ses yeux lui évitait de sentir ses douleurs et lui soufflait une énergie comme dans la force de l'âge.

La porte de la caravane était ouverte. Caché par l'épaisse végétation, Massillon s'approcha pour essayer de saisir la conversation.

— Merci, ma petite, d'offrir ce cadeau sublime à ton père spirituel. Habille-toi et deviens vite Cléopâtre ! Abandonne ces oripeaux, ma chérie, pour passer la tunique. Elle est pour toi une armure contre la fange.

Kathleen posa ses vêtements, mit ses voiles de tulle blanc, laça ses chaussons.

— Tu es sublime !

Vladimir saisit le magnétophone qui servait pour les répétitions. Il plaça la cassette et sélectionna un passage.

Kathleen éternua et dut se moucher. Vladimir insista :

— Le médecin a été formel. La piqûre doit être faite dès le matin. Heureusement que j'ai pensé à prendre une seringue et une dose dans la salle de bains.

D'autorité, il prépara la piqûre.

— Je n'ai jamais rencontré un homme aussi prévoyant que vous ! Vous pensez à tout !

— J'essaie ! Surtout lorsque mes danseuses sont concernées.

Il fit l'injection dans l'épaule de Kathleen.

— Aïe ! Mais, aujourd'hui ça me fait rudement mal ! se plaignit-elle.

— Peut-être parce que tu arrives à la fin du traitement. La dose doit être plus forte.

— Ça chauffe !

— Viens danser. Avec les mouvements, le liquide va se répandre dans les muscles et tu ne sentiras plus rien.

Vladimir s'installa sur l'un des gradins de pierre. A mi-hauteur, pour avoir une vue d'ensemble. Dans sa course vers le zénith, le soleil remplaçait avantageusement les projecteurs, même les plus sophistiqués. L'espace-temps était aboli. Avec Kathleen, la Grèce antique appartenait au futur. Et c'est Vladimir, avec son costume du xx$^e$ siècle, qui paraissait anachronique.

Massillon, toujours dissimulé, observait la scène sans être vu. En haut du théâtre, masqué par un bloc de pierre, Marcignac assistait, lui aussi, à cette étrange représentation. A la nuance près qu'il avait déposé, à côté de lui, un revolver sur lequel étaient montées une lunette et une crosse pour mieux viser.

Kathleen évoluait maintenant et suivait la musique diffusée par le magnétophone déposé sur le devant de la scène. Mais elle se sentait gênée dans ses mouvements par la brûlure à l'épaule.

« Je suis vraiment fatiguée », se disait-elle, alors que la sueur perlait à son front. « Je suis loin d'être au mieux de ma forme. Quel dommage pour Vladimir ! »

Après une pose à terre, elle eut de la peine à se relever. Son cœur battait trop vite. Ses jambes, d'ordinaire si aériennes, devenaient lourdes comme si ses chaussons de satin possédaient une semelle de plomb.

« Je n'irai pas au bout... » se disait-elle en serrant les dents. « Pourtant, pour Vladimir, je dois continuer... jusqu'à la délivrance. Mais pourquoi avoir choisi la fin du ballet ? Pourquoi m'avoir fait cette piqûre avant ? »

Elle s'immobilisa.

Vladimir se leva.

— Continue. Le virtuel de l'Art devient la concrétisation du Rêve ! Continue ! Tu es la Vérité. Les gestes sont justes. Vrais...

Massillon rebroussa chemin. Et, à grandes enjambées, il rejoignit la caravane. Il entra. Sur la table, il remarqua l'ampoule d'antihistaminique non cassée. Il en déduisit logiquement que la seringue avait été utilisée pour injecter autre chose que le médicament prescrit par le médecin. Logique...

En marchant le plus vite possible, il regagna l'hôtel et, de la réception il appela le SAMU. Il expliqua, le plus clairement possible, qu'il était de la Police, et qu'une personne était en danger de mort car on lui avait inoculé du poison à la place d'un antihistaminique. Le central du SAMU se demanda s'il n'avait pas affaire à un fou. Il conseilla d'attendre et de se rendre en consultation chez un généraliste.

Massillon se fâcha.

— En perdant du temps, vous mettez cette personne en danger de mort. Il est peut-être trop tard. Je vous demande de prendre vos responsabilités. Il s'agit de Kathleen, la danseuse qui s'est produite hier au Théâtre Antique, et je vous appelle de la réception de son hôtel.

Avec ces précisions supplémentaires, le central s'exécuta et demanda l'adresse.

— Vous trouverez la victime au Théâtre Antique. J'y serai moi-même.

Massillon revint aussi vite qu'il le put. Il entendit la voix de Vladimir qui, debout sur la scène, déclamait :

— Kathleen, tu seras immortalisée. Tu ne feras pas le succès de ce Sergio Marini. Tu vas rejoindre Nicole et Tania...

— Mais que dites-vous, Maître ? Que se passe-t-il ? Je ne comprends pas ! demanda Kathleen qui avait l'impression que le soleil explosait en mille boules de feu.

— Ecoute, ma chérie... danse ! Va jusqu'au bout de toi-même ! Comme je le fais moi-même... Danse... pendant que tu le peux encore... Car tu vas mourir... Danse ! Je vais te dire, avec Sergio, nous n'avons jamais cessé d'être rivaux. Et cela dure depuis trente-cinq ans ! En intriguant, ce Florentin de malheur a réussi à être nommé Etoile avant moi. Et pourtant, tout le monde s'accordait à reconnaître que j'étais plus brillant, plus aérien que lui. Et ça a continué tout au long de ma carrière ! Du tapage ! Lui, il n'a jamais cessé de me persécuter. Pour la simple raison qu'au fond de lui-même, il sait que je suis meilleur danseur que lui, meilleur chorégraphe... Meilleur dans tous les registres. Alors, pour se rassurer, il cherche à m'écraser. Voilà pourquoi il est venu chercher mes danseuses. Me les voler !

« J'aurais pu le tuer, Kathleen ! Mais j'ai préféré qu'il vive... Pour connaître l'échec, pour lui et pour sa Compagnie. Pour cela, ni Nicole, ni Tania, ni toi, vous ne deviez le rejoindre. Sans les étoiles du ballet de l'Europe il n'obtiendra jamais la consécration... Alors... Alors, dans « La Dame de Pique », l'héroïne, tu le sais, se jette dans un canal qui entoure le château. Nicole a donc péri noyée... En sortant de chez Ledoyen, je lui ai téléphoné pour lui demander de me rejoindre près de la Seine... Elle est venue, la petite sotte ! Dans « La vie de Jeanne d'Arc », il s'agit du feu. Tania a connu les flammes, comme ce Saint. Je l'ai appelée pour lui donner rendez-vous dans la forêt de Rambouillet. J'avais bricolé la ceinture de sécurité de sa voiture. Il m'a été facile de l'assommer au volant, d'autant plus que l'endroit était désert et l'heure déjà avancée. J'ai poussé sa voiture contre un arbre après avoir desserré le frein. Un bidon d'essence, et l'auto a explosé. Comme dans l'Opéra, les flammes purificatrices ! »

Kathleen écoutait avec des yeux agrandis par l'étonnement et par l'horreur.

— Et pour moi ? demanda-t-elle, d'une voix altérée.

— Pour toi, ma chérie, c'est simple. Cléopâtre ! Le serpent... Je me suis procuré des reptiles particulièrement venimeux. Style serpent minute. Il me suffisait de leur faire cracher leur venin en les faisant mordre dans un mouchoir. Quand tu auras perdu connaissance, je planterai les crocs de l'une de ces bestioles dans ton épaule. L'autopsie conclura à un accident... A ton décès à la suite d'une morsure venimeuse.

Kathleen s'était affaissée sur elle-même, envahie par

une peur affreuse... A la place de Vladimir, elle croyait voir la Mort qui gesticulait...

Soudain, Massillon fit irruption sur la scène :

— Kathleen, ne craignez rien ! Le SAMU est prévenu. Il sera là dans quelques minutes... Surtout évitez de bouger le plus possible... Et ne parlez plus... Afin de ralentir l'action du venin. Je vous expliquerai plus tard...

Vladimir, en furie, s'était élancé devant le commissaire :

— Mais, de quoi vous mêlez-vous ? hurla-t-il. C'est un fou ! Un maniaque obsessionnel ! Il voit des assassins partout !

— Vladimir, répondit Massillon d'une voix ferme, j'ai tout entendu ! Maintenant, je vais vous poser deux questions. Avez-vous, à plusieurs reprises, attenté à ma vie, en blessant d'ailleurs ma femme ? Et pourquoi ?

— Je vous connaissais de réputation, commissaire... Je n'ignorais pas votre acharnement à rechercher la vérité. Votre simple présence aux obsèques de Nicole était pour moi déjà un signe... Un avertissement... Et plus encore, une menace. Vous êtes, comme moi d'ailleurs, jusqu'au-boutiste. Pour me permettre de poursuivre mon plan, vous deviez disparaître. Mais ce n'est pas moi qui ai tiré sur votre voiture. Je me suis contenté d'appliquer, dans votre parking, une recette lue dans un livre sur la Résistance. Les maquisards du Vercors avaient fait sauter un véhicule de la Feldkommandantur en plaçant de la poudre d'une cartouche de chasse dans le bloc culasse. Ici, j'ai essayé de vous électrocuter en trafiquant les fils électriques sous la baignoire. J'ai échoué. Ici, à Orange, j'étais au courant de vos faits et gestes par Simone.

Sans haine, Vladimir poursuivit :

— Mais je vous retourne ma demande. Comment êtes-vous arrivé à me soupçonner ?

— En visitant le musée de Cornu. En voyant les photos du passé, j'ai deviné la farouche rivalité qui vous opposait à Sergio. Et puis, j'ai été fortement impressionné par la façon dont est morte Nicole. Il se trouve que je connais assez bien les livrets des opéras et des ballets. Là, a été votre perte. Je ne crois pas aux coïncidences renouvelées. Et si vous m'avez vu si souvent à vos répétitions à l'Opéra, c'était en fait pour protéger Kathleen. Je voulais faire mentir le proverbe, répété cyniquement par Alex Vérovich à Kathleen : « Jamais deux sans trois. »

Quand j'ai appris qu'elle allait partir danser avec Sergio, j'ai compris qu'elle se trouvait en danger de mort. Je me suis dit qu'elle ne risquait rien jusqu'à ce gala d'adieu. Mais ensuite... Voilà pourquoi je suis venu à Orange. Et comme vous êtes atteint d'une sorte de folie, j'ai eu très peur que vous passiez aux actes hier après la représentation.

— Vous êtes très fort, commissaire !

— Vous avez commis une autre erreur. Votre lettre anonyme. Vous vous êtes servi d'un magazine de danse : « Pas de Deux ». J'ai reconnu les caractères d'imprimerie. J'aurais sans doute pu mettre fin plus rapidement à vos agissements. Je ne l'ai pas fait pour deux raisons. J'ai été gêné dans mes investigations par le rôle toujours inexpliqué d'Eric de Marcignac. D'autre part, en vous faisant arrêter avant le gala, je supprimais à Kathleen la chance de trouver ici, et grâce à vous, la consécration mondiale. Comme vous le dites, il fallait aller au bout des choses, mais stopper tout de même suffisamment tôt pour que Kathleen continue à vivre.

— Commissaire, vous êtes le seul à détenir la clef de ces énigmes et rien ne me prouve que vous ayez alerté un médecin. Et même si vous l'avez fait, vous n'aurez pas le temps de lui raconter les faits et toute l'histoire. Vous allez mourir, vous aussi. Alors, c'est moi qui vous accuserai. Kathleen sera morte. Elle ne pourra pas dire le contraire !

Vladimir tira de sa canne qui n'était qu'un fourreau, une fine épée. Et il avança vers Massillon.

Dans ce théâtre construit en fonction des lois de

l'acoustique où les voix portaient loin, celle de Marcignac se fit entendre, sèche et métallique.

— Lâchez votre lame, Vladimir Oustrine, ou je vous abats comme un chien !

Et le diplomate apparut au sommet des gradins, pointant son arme des deux mains.

Le maître de ballet fit un effort pour comprendre que tout était perdu. Il jeta sa canne.

Cornu apparut à son tour et la récupéra en toute hâte. Les objets l'intéressaient plus que les hommes.

— Vous avez tué Nicole, continuait le diplomate. Brisé sa vie. Et aussi celle de Tania ! Et la mienne ! Je ne sais ce qui me retient de vous descendre !

Le commissaire s'adressa à lui :

— Vous arrivez au bon moment.

— Je n'ai cessé d'être dans votre ombre, commissaire ! Moi aussi, j'ai voulu me livrer à une enquête. Pour retrouver l'assassin de Nicole. Je préfère faire la justice moi-même. Je n'ai plus confiance dans celle des hommes.

L'ambulance du SAMU apparut. Un homme jeune en sortit, la trousse à la main.

— Dépêchez-vous, lança Massillon. Elle vit...

Le médecin se pencha sur Kathleen qui respirait de plus en plus difficilement. En un tour de main, il injecta l'antidote et un tonicardiaque. Puis il se releva en disant :

— Elle est sauvée, Messieurs. Elle vous doit la vie. Elle arrivait au seuil critique. Nous allons la conduire dans sa chambre. Je resterai à son chevet.

Vladimir s'écroula, victime, sembla-t-il, d'une crise cardiaque. Réelle cette fois. Le médecin accourut.

— Il faut le mener à l'hôpital, dans un service spécialisé, s'exclama-t-il. Et vite...

Marcignac déclara :

— Docteur, utilisez votre véhicule pour Kathleen. Je me charge de transporter le maître de ballet...

**
**

En fin de matinée, Marcignac frappait à la porte de Joseph Massillon.

— Je voulais vous donner la pièce qui manque à votre puzzle, à mon sujet. A vingt ans, j'ai failli entrer dans la Police. En fait j'ai opté pour Saint-Cyr Coëtquidan.

« Aujourd'hui, je suis officier membre du service Action de la DGSE. Ce qui est une réponse à toutes les questions que vous vous posiez sur moi. Je devine, bien sûr, que vous vous êtes livré à une enquête. Vous avez donc dû découvrir les relations que j'ai pu avoir avec Tania Maximova. Son père était un Russe blanc.

« Un moment, elle a été amenée à collaborer avec nous. J'ai eu l'occasion de lui faire accomplir plusieurs missions. C'était une fille exceptionnelle et c'est par elle que j'ai connu Nicole.

« J'ai été inquiet car, grâce à un appareil que j'ai à ma disposition, je me suis aperçu que j'étais sur table d'écoute. Je me suis douté que vous n'y étiez pas étranger.

— Je vous remercie pour votre franchise. Puisque nous en sommes aux explications, sachez que j'ai, pendant un temps, cru que c'était vous qui aviez tiré sur ma voiture en revenant des obsèques. Tout le laissait supposer puisque vous nous devanciez. De plus, j'avais découvert dans le tiroir de votre bureau, pendant votre courte absence, un revolver du même calibre que celui dont la balle avait atteint ma femme. Par la suite, j'ai appris que d'autres automobilistes ont été victimes d'attentats analogues sur la même route. J'ai conclu qu'il s'agissait d'un déséquilibré. Ou d'un jeune voyou, ce qui ne m'a pas empêché de poursuivre mes investigations, car je me doutais que tant qu'on ne l'aurait pas arrêté, d'autres vies seraient en danger.

— Je sais que vous avez interrogé une ouvreuse, reprit Marcignac. J'ai, effectivement, assisté au dernier gala de Nicole. Mais, pour des raisons de sécurité, puisque j'étais en mission, il m'était absolument impossible de me montrer officiellement. C'est donc incognito que j'ai assisté à son triomphe... Le dernier !

Eric resta quelques secondes silencieux. Sans doute pour maîtriser son émotion, et repousser les souvenirs trop douloureux. Il planta son regard d'acier dans les yeux du commissaire et poursuivit :

— Au fait, j'ai oublié de vous dire. Pour Vladimir... Il est mort en route. Je suis arrivé trop tard à l'hôpital...

Pour éviter les journalistes, Joseph Massillon repartit dans la journée à Juan-les-Pins. Il retrouva sa femme qui, avec Foquez, réussissait un très bon classement dans le mixte. Le bridge reprenait ses droits. Il décida donc de s'inscrire au dernier tournoi. Le Patton.

Une façon d'oublier le monde de la danse.

## Épilogue

Six mois plus tard, Joseph Massillon et son épouse durent venir à Paris. Ils descendirent au Baltimore.

Aurélie, leur petite fille, qui occupait la chambre 303... celle de Nicole, son amie d'enfance, les avait invités à assister à une représentation du ballet « Les Sylphides ».

Joseph trouva son nœud papillon. Mais il avait oublié ses boutons de manchettes ! Un responsable de l'hôtel répara l'oubli en quelques minutes.

Après le gala au Palais Garnier, Aurélie fut nommée danseuse Etoile. Dans leur loge, Joseph et Lucie, ne purent retenir leurs larmes.

Le souper eut lieu au Pavillon Ledoyen. La soirée fut encore plus éblouissante que la précédente. Il est plus enthousiasmant d'assister à la naissance d'une étoile qu'à sa fin...

Aurélie gardait sur elle un télégramme de félicitations. Il émanait de Kathleen Hillgate. Big Jo en profitait pour la complimenter et lui proposer de venir quelques jours aux Etats-Unis. Manière de poser des jalons sur la suite de la carrière de la nouvelle étoile.

Aurélie connaissant, et pour cause, les méthodes de John Hallifax se contenta de sourire, en avouant :

— A Miami... je préfère Moulins-sur-Allier !

*Achevé d'imprimer en octobre 1992*
*sur les presses de l'Imprimerie Bussière*
*à Saint-Amand (Cher)*

— N° d'impression : 2471. —
Dépôt légal : novembre 1992.
*Imprimé en France*